긍정과 부정의 사유

소금북 산문선 1

긍정과 부정의 사유

고현수 산문집

소금북
sogeumbook

| 작가의 말 |

시로 쓸 수 없는 것은 짧은 문장으로 가져와 내가 내게 말하고 싶은 것들과 내가 읽는 세상을 썼다.

세상의 상(象)이 무엇인지는 알 순 없지만, 또 내가 나에게 말하고자 하는 것이 어떤 모습으로 나와 대면할지는 모르겠지만, 글을 쓰는 시간만이라도 내 안의 나와 함께 하는 것, 내면의 나와 삶의 물음에게 가까이 가는 것, 그것이 글쓰기의 이유이고 글쓰기의 기쁨이기도 하겠다.

산문 속 몇 편의 시는 짧은 문장 속으로의 산책이다.

| 차례 |

001

편지.

봄—. 그리고 가을 징검돌을 건너 어느새 겨울이야. 휑한 들판의 거친 풍경을 밟고 휙휙 허공을 질러가는 바람이 긴 발톱을 세우고 사나워졌어. 지난 계절의 미소를 지운 바람은 기억 속에 담아두었던 살가운 이야기들을 무릎 아래로 내려놓고 낯선 표정을 어깨 위에 올려놓았어.

겨울밤이야.

차갑고 단단한 어둠을 뚫고 반짝이는 별들은 밤새 눈물 꽃을 피워 꽁꽁 얼어붙은 대지 위로 봄의 미소에 얹어줄 꽃씨를 뿌려주고 있어. 인적을 잃어 불빛 든 밤 깊은 초가에선 발그레 불빛 따스한 아기의 볼이 젖가슴을 부비는 소리가 들려오는 흰 눈 쌓인 밤, 하얗게 순백으로 지은 별들의 미소가 우리의 마음을 위로하고 세상의 지붕을 고요히 잠들게 하고 있어 그 낮은 지붕아래에서 내일의 행복을 여미고 새기면서 작은 꿈으로 포개놓은 풍요의 과실을 광주리에 담아야 하겠지. 달디 단 과즙을 향유하는 가난한 식욕의 맛깔스러움을 기억하면서 희망을 쥔 손바닥을 펴 두 손을 마주 모아야겠지.

그리고, 우리들 사랑이 하나의 기도가 되어 마음속에 집을 짓듯이, 우연한 장소가 없는 생의 모퉁이에서 희미한 등불을 이고 눈빛으로 번졌던 낮은 합창 소리들, 우리를 울게 만든 기쁨의 그 날들도 행간의 마디로 상처 스며와 따 슨 햇살의 기억을 베어놓고 그늘의 겨드랑이로 슬며시 숨기도 하는구나. 휙 스치는 한줄기 바람에 정수리 전부를 주어버린 갈대의 애증처럼 허청이며 당기는 뒷덜미가 서걱이기도 하고 말이야. 우리가 불렀던 그 노래를 불러야해. 삶은 인생의 악보를 채우며 휘돌아 흐르는 휘모리 가락이야. 진정 원하지 않았던 기억의 무늬들을 상처의 여백위에 올려놓고 그 꽃의 상처를 뜯어내 희망의 꽃잎을 피워내야지. 겨울바람을 두른 단단한 땅위에 여린 나무를 심고 긴긴 뿌리의 날들을 달래야 해. 우리의 가슴에 비바람을 막아줄 육신의 방패는 손에 쥐어지지 않은 채 상처의 아픔을 받아내야 하는 여정의 항해이니까 말이야. 우리의 생을 동반하며 어깨를 내어주는 내일의 악수는 관대하지 않은 내 곁의 이웃이거든 그 이웃의 행보는 우리가 원하는 장소에 머물지 않고, 내가 원하는 장소에 안주하지 않는 모험가의 낯선 모험이니까 말이야. 그 낯선 지도를 겨울바다에 띄우고 노를 저어야지. 돛을 달아야 해. 파도의 등을 비추며 깜박이는 항구의 불빛을 싣고 멀리멀리 떠나야 해.

겨울밤이야.

밤하늘에 깜박이는 별빛들이 차갑게 흔들려 밤이 깊었어. 밤의 수평선이 펼쳐놓은 까만 벨벳을 두른 둥근 달은 엷은 금빛을 둥글게 부풀려 세상의 그리움 전부를 담아놓았어. 지금 밤이 깊어서 멀리 더 멀어진 은하 바다엔 작은 별빛들의 눈빛이 차가운 겨울바람에 스치고 있어.

002

말은 마음이 원하는 소리를 내는 것, 마음을 꾸미면 말은 누더기가 될 걸세.

언어학자 소쉬르는 인간의 마음이 언어에 의해 구성된다고 했다. 언어의 구성이 인간의 마음을 대변한다는 것. 시인은(나는) 마음의 움직임에 의해서 언어가 마음의 옷을 입는다고 했다.

언어에 대한 각각의 사유는 언어에 대한 자의적 배려이고, 그 배려 안에서 언어는 언어의 생기를 갖는다. 그러므로 언어에 대한 사유는 인간의 마음을 구속하기도 하고, 그 사유의 움직임에 의해서 마음이 언어를 해방시키기도 한다. 언어의 빛과 그늘.

003

예술이 술을 보는 방식. 술이 예술을 보는 방식. 그리고 시인이 술을 이해하는 방식.

술은 직선의 관념으로 무뚝뚝해진 감성에 에로틱한 곡선의 상상을 불어넣어주는 마법의 촉진제. 藝酒은 세상의 모순과 부조리를 부조리한 미소로 웃게 하는 고독한 영양제. 그리고 자신의 삶을 다독여주는 자양장강 위로제.

술은 예술에게 이렇게 말하지.

“나를 마셔! 내 藝酒 방울이 너의 몸속에서 색색의 물감으로 흘러 무지개를 만들걸! 네 허리춤에 꽂힌 예술의 칼이 그 무지개의 가닥을 싹둑 베기도 할 걸!”

예술은 술을 ‘예술’로 보기도 하고, 술은 예술을 ‘술’로 보기도 한다. 술과 예술은 비 존재적이자 존재적 연인 사이, 또는 —(　).

004

문장 한 구절의 사유, 혹은 인간에 대한 우울한 사유.

어느 책에서 읽은 구절인데 인간의 심리를 이렇게 묘사해 놓았더군.

"작은 일에는 정직하게 유혹하다가, 중요한 큰일에는 싹 배신한다."

인간의 주위에는 언제나 유혹과 배신이 존재한다. 우리에게 기쁨과 좌절을 가져다주는 유혹과 배신의 실존드라마는 인간만이 연출할 수 있는 자득 생존의 한 방법이기도 한데, 상대를 유혹하기 위해선 세포의 색깔을 바꾸는 '두족류'가 돼야 하고, 상대를 묻을 구덩이를 파기 위해선 혀가 뾰족한 '교활한 삽'을 필요로 한다.

005

인쇄업자인 프랭클린은 달력을 인쇄하면서 달력의 여백에다가 예로부터 내려온 격언이나 잠언들을 선택해서 옮겨 놓았는데…….

"세상을 가장 잘 이해하는 사람은 세상을 가장 싫어하는 사람이 된다."는 문구도 있다. 이 문구는 절반의 진실이고 절반의 왜곡이기도 한데,

이런 문구는 또 어떨까?

"세상의 이해에 침묵하는 사람은 세상에 대한, 혹은 자기 자신에 대한 연민으로 가득 찬 사람이다."

이 문구 또한 절반의 왜곡이고 절반의 진실인데,

그런데 세상을 이해하는 것이 가능할까? 그리고 세상을 가장 잘 이해하는 사람이 누구일까?

말[言]은 세상을 가장 잘 이해하는 사람을 알지 못하고, 그런 사람은 존재하지 않으므로 찾을 수도 없다. 때문에 나는, '세상에 대한 이해' 라는 말을 세상의 말이 전하는 말의 해석으로 들었다.

'이해' 와 '해석' 은 뇌의 풍경에서 번지는 '생각의 물감' 이다.

006

삶이 아름답다고 아름다움의 부조리를 아름다운 미소로 말하는 사람은 앞니가 빠진 사람의 부조리한 웅변이고, 삶이 행복하다고 행복을 말하는 사람은 신들이 애초부터 인간에게 행복을 주지 않았다는 걸 모르는 사람의 허기진 발성이고, 그럼에도 삶은 살아볼 만한 가치가 있는 거라고 삶의 의미에게 의미를 부여하는 사람은 기분 좋게 진취적인 사람이고, 삶의 이유가 곧 삶이라고 삶을 말하는 사람은 잠에서 깨어난 사람이고, 삶은 내 것이 아니라고 자신의 삶이 자신의 것이 아님을 말하는 사람은 죽어서도 살아있는 사람이다. 마지막으로 삶이 불행하다고 자신 삶에게 불행을 말하는 사람은 불행한 사람이다.

007

"어떤 대상을 이해한 후에야 그 대상을 사랑하거나 증오할 수 있다."

— 레오나르도다빈치

대상을 이해하는 행위는 이해가 불가능한 영역인 대상의 본성과 영혼의 살을 섞어야 하는 것. 그러므로 무엇을 이해한다는 것은 이해 가능한 것을 전제로 해야만 대상에 대한 이해를 충족시킬 수 있다.

나 외에 무엇을 이해할 수 있다고 말할 수 있는가? 나는 나를 이해한다고 말할 수 있는가? 나는 나 자신조차도 알 수 없고, 알 수 없는 것을 이해할 수 없으므로, 이해할 수 없는 대상을 사랑할 수도 있고 증오할 수도 있다. 이건 이해의 대상에 대한 해석의 긍정인데, 왜냐면 사랑과 증오의 간격은 손가락과 손바닥으로 이어진 극히 짧은 거리의 간격이고, 그 둘은 하나의 사고로 연결된 열정으로 서로를 뜨겁게 불붙이는 한 몸의 연인 사이이기 때문이다.

"누군가를 정말로 이해하려 한다면 그 사람 살갗으로 들어가 그 사람이 되어서 걸어 다니는 거지."

<앵무새 죽이기> '애티커스 핀치' 가, 딸 '스카우트' 에게 한 말이다.

008

"영혼은 나이가 든 채로 몸에서 태어납니다. 또 몸이 늙어가는 것은 영혼을 젊어지게 하기 위한 것입니다. 플라톤은 젊어진 소크라테스입니다."

'오스카 와일드'의「심연으로부터」에서 와일드가 '지드'에게 한 말이다.

이 짧은 한 문장이 주는 의미심장함의 비유! 세상의 많은 말들 중 단연 으뜸이다. 오, 이런 대화의 장면 속에 함께 있는 것은 얼마나 기분 좋은 일인지!

그리하여 다시 새롭구나! 내 육체의 나이가 세월의 나이를 익혔으니, 하여, 영혼의 나이가 알몸을 두른 파랑이니 내 영혼은 얼마나 싱싱하고 푸른 파랑인가!

009

물 한 방울에도 천지의 은혜가 깃들어 있다.

인간은 자연이 주는 것으로 먹고, 자연이 주는 것으로 질병을 고치고, 우주 자연이 펼쳐놓은 무궁함을 보며 존재의 실존과 아름다움의 신비를 느낀다. 그렇기 때문에 인간생존의 근원은 우주 자연에서 오는 것이다. 그런데도 자연의 은덕을 모르는 인간은 자연이 자신들의 발바닥 아래에 놓여 있어야 한다고 자연의 가슴에다가 쇠망치질을 해대며 자연의 가슴을 쪼개고 조각내고 있다. 인간은 참으로 이상하고 불쾌한 족속이다. 이 지구에 존재하고 있는 인간에게 인간은 지구자연과 어떻게 상생 할 수 있는 존재인가를 묻는다면 자연은 이렇게 대답할 것이다.

"이 지구에 속해있는 인간종은 지구 자연에 유해할 뿐만 아니라, 심지어는 지구의 몸통을 갈라 지구를 궤멸시키려 하는 최악의 독성을 가진 유일한 지구생명체이다!"라고. 이건 자연의 심장을 갈가리 찢고 파헤치면서 탐욕의 모래성을 쌓는 인간들에게 자연이 하는 말이다.

010

비극 중에서 유일한 비극은 우리자신을 비극적 존재로 상상할 수 없다는 것이다.

비극은 우리의 뒤에 형체도 없이 존재하고 있으면서 우리가 우리의 뒤를 돌아보지 않고 자신의 뒷모습을 잊고 있을 때, 우리 앞에 모습을 드러내는 감춰진 그림자극의 실체 극이다.

비극은 우리의 뒤쪽에서 우리가 알 수 없는 무대를 꾸며놓고는, 어느 날 갑자기 우리를 비극의 무대 안으로 밀어 넣고 삶의 최상의 연기를 요구하는, 극중에서 가장 유익한 고통과 드라마틱한 불안의 공포를 불러일으키게 하는 극이 비극이다.

이건 책에서 읽는 셰익스피어 이야기가 아니고, 또 먼 신화 속 인물들이 꾸며낸 황당한 비극을 말하는 것도 아니다. 내가 말하고자 하는 비극은 지금 우리의 삶 속에서 벌어지고 있는, 우리의 엄연한 현실을 말하고 있는 것이다.

인간의 삶은 다양한 연극으로 채워져 있는데, 우리는 그 다양하고 무궁한 연극 중에서도 대부분 자신을 웃게 해주는 희극연기를 좋아한다. 그건 희극적인 무대로 이 세계의 삶이 설계된 것이 아니라, 희극을 바라는 우리의 유아적인 욕망 때문이다.

우리는 비극의 무대를 기다리고 있지 않지만, 기다리지 않아도 비극을 연기해야 한다. 비극은 어떤 특정한 무대의 특별한 비감이 아닌, 일상으로 연속된 삶의 일부로 삶의 다양한 표정들을 담고 우리에게 오기에 언젠가는 무대 위에서 비극과 맞닥뜨려야 하고, 캄캄한 밤하늘에 갑자기 나타나 어둠의 몸통을 가르는 혜성의 칼날처럼, 갑작스럽고 황망하게 우리 앞에 나타난 비극은 우리의 뒤통수를 사정없이 후려칠 것이다. 그 망치질로 휘청할 것이다. 그러므로 비극은 필연이라는 단어를 쥐고 예고도 없이 우리에게 성큼 다가와서 손을 내미는데, 그러한 비극적인 삶의 충격들을 영혼은 이미 알고 있었고, 그 비극을 맞이하기 위해 비극의 자리를 항상 비워두고 있었던 것이다. 그러하기에 삶은 필연적으로 비극을 연기해야 하고, 우리 모두는 우리에게 주어진 비극의 내용을 온몸으로 체험해야만 한다. 그 비극이라는 프로그램은 애초부터 우리 생에 명시돼 있는 최상의 매뉴얼이자 우리가 반드시 겪어야 할 삶의 과정이기 때문이다. 그러므로 비극을 연기하는 것이 싫어도 비극을 체험하고 연기해야만 하는 것이 물질계에서의 불완전한 인간의 삶이고, 또 우리가 반드시 치러야 할 생의 규정이다. 우리의 삶에 고통의 쓰나미를 안겨주는 비극의 파고는, 의식의 관습으로 응고돼있는 일상을 흔들어주는 에너지의 동력이고, 그 동력의 회오리를 체험하지 않고서는 삶에서 이어지는 고통을 순화시킬 능력을 스스로 만들어 낼 수 없을 뿐만이 아니라, 우리에게 주어진 비극의 고통이 의식의 진보로 나아갈 수 있는 정신적 토대를 만들어주기 때문이다. 그러므로 비극은 단순한 비극이 아니다. 비극은 우리의 삶이 어떤 것이며, 삶을 살아가고 삶을 행위 하는 우리가 어떤 존재인가를 깨닫게 해주는 실존적 체험으로서의 생의 드라마이기 때문이다. 또한 비극은 우리 삶의 방향을 제시해주는 하나의 특별한 계시이고, 명료한 통찰력과 이해력으로 자신의 삶을 새롭게 무장시켜주는 의식전환의 상승과정이며, 그 과정은 우리 영혼의 의식을 한 계단 성숙으로 나아가게 하는 일이다. 그러하기에 온몸을 던져 연기해야 하는 비극 무대는 체험으로서만 체험할 수 있는 진정한 삶의 공간으로서의 무대인 것이다.

위대한 비극작품을 감상하고 난 뒤에는 눈물을 흘리는 대신 코를 풀어야 한다고 어느 시인은 말했다. 그렇다! 눈물을 훔치며 비극을 감상하고 난 후에는 반드시 코를 풀어야 할 것이다. 팽, 코를 틀어쥐고 코를 푼 뒤에는 우리가 원하는 희극적 무대가 다시 우리를 기다리고 있을 것이다.

> 즐거워하는 것은 매우 쉽다.
> 삶이 노래처럼 흘러갈 때는.
> 그러나 가치 있는 사람은
> 미소 짓는 사람이다.
> 모든 것이 크게 잘못되었을 때.
>
> — 윌라 휠러 윌콕스

011

사람은 누구나 고난을 당하는 당사자이거나, 앞으로 다가올 고난을 겪을 후보자이다. 그렇기 때문에 고난을 겪은 어떤 이가

고난을 겪을 또 다른 후보자들에게 이렇게 말했다.

고난이 무엇인지 알고 싶은가? 이 짧은 문장 속에 들어있다네.
어느 날 갑자기 그대에게 고난이 찾아오면
머리를 숙여야 할 스승이듯
두 손으로 받아 정중하게 모시게.

012

3월.
3월, 가벼운 겨울바람이 햇살의 짧은 미소를 음각하는 겨울정오, 납의 무게로 낮게 내려온 세상의 감성들이 잿빛 사유로 가득 채워졌다. 외면의 형상을 뿌옇게 지운 사물들의 풍경은 자신 내면의 얼굴로 표정을 바꾸고 묵언 고요에 들었다.

가벼운 눈 떨어진다.

아련의 아련 저쪽,

흰 꽃잎들의 은유를 가득 피운 내 동공 안으로 꽉 채워진 낯선 사물들의 표정. 그 사물들의 낯선 표정에서 내 감성의 색조를 끄집어내 그 안의 풍경으로 슬쩍 나를 바꿔놓았으니…….

나의 내면에서 번지는 고독의 풍경은 충만한 표정을 만들고 완전한 풍경으로 풍성해졌다. 풍요의 사유는 잿빛 정원을 거닐고 여유롭다. 오늘은 시를 한 편 썼다. 시 제목이 〈봄날〉인데, 시는 아니다.

수도 얼고 마당은
햇빛 한 조각
작은 평화를 들였다.
따뜻하다.
봄볕 땅의 속살 스미면
물길 트이고
가슴에 물 흐른다.

013

반쪽.

인간은 흑과 백, 옳음과 그름을 무 자르듯이 자른다. 잘 자른다. 자르는 걸 즐긴다. 잘린 자신의 한쪽 눈으로 세상의 한쪽 모서리를 읽고, 잘린 뇌의 반쪽을 사용해서 자신의 반쪽을 드러내고, 자신이 자른 자신 가슴의 반쪽 창을 열고 자신의 가슴을 들여다본다. 그리하여 모든 사물은 반쪽의 불구이고, 세상의 심장도 반쪽이고, 존재로서의 나 자신의 존재도 반 토막인 반쪽의 토막이다. 내 영혼의 발견을 위한 나머지 반쪽의 비밀은 어디에 숨겨놓은 것일까? 대체, 동강난 내 반쪽은 어디로 사라져 버린 것일까?

014

세상을 피하는데 예술보다 확실한 길이 없고, 세상과 관련을 맺는데도 예술처럼 적당한 길은 없다고 괴테는 말했다. 아주 적절한 말이다. 예술 행위를 하는 예술가에겐 누구에게나 해당되는 말이겠다. 내 경우만을 놓고 보더라도 말이다.

예술은 현실의 부조리한 긍정에 대한 부정이다. 그러므로 정상적인 것은 누구나가 다 가지고 있는 현실의 결핍이고, 비정상적인 것은 누구나가 가질 수 없는 풍요의 현실이다.

세상의 현실이 물리적 물질의 무게를 숭배하고, 화려하게 포장된 관능으로 유혹하는 물질의 육체성을 찬미하듯이, 문학은 물질 세상을 찬양하며 물질을 향해 달려가는 물질 만능의 광장 위에 비물질적 언어를 장전해 폭탄을 터뜨리는 기분 좋은 테러행위이다. 그 테러의 기분을 활성화시키는 방식으로의 나의 시 쓰기는 현실적 세상과의 가시적 거리두기이고, 그 거리의 공간에 있는 나를 비가시적 타자로써 바라보는 일이고, 내가 바라보고 있는 공간의 안 밖을 잇는 세상과 내 실존의 도화선에 불을 점화시키는 행위이다.

그런데 시를 통해서, 예술을 통해서, 세상과 관련을 맺는 행위는 무엇을 위함의 행위인가? 또 무엇을 위함의 행위는 무엇을 위해서 행위 하고자 하는 '목적'의 행위인가?

시인이 시를 쓰는 행위는 인간적인 행위가 아니고 신적인 광기에 사로잡힌 영혼이 수행하는 일이라고 누군가 말했다. 내게는 결코 해당이 되지 않는 말이지만, 어쨌든 상서로운 호기심을 유발하는 동시에 시인이 물어야 할 형이상학적 실존의 질문이다. 그 낯선 물음에도 불구하고 내 영혼이 사유하는 시 쓰기의 목적과 행위는 무엇을 위함의 쓰기인가? 그럼에도 내 시 쓰기의 행위를 스스로 내게 묻는다면, 나의 시 쓰기의 행위와 목적은 결핍으로 충만 된 내면의 나를 위로하는 것. 그러므로 나의 시 쓰기는 나를 쓰는 것 외의 무엇에 대한 목적도 아니고, 무엇을 위해서 시를 쓰는 것도 아니고, 시로 세상을 말하고자 하는 것은 더더욱 아니다. 나의 시 쓰기는 오직 나 자신에게 말을 하고, 내가 나에게 들려주는 나의 말을 듣는, 나 자신과의 자의적 대화수단에 지나지 않는다. 그건 나의 내면이 내게 말하는 침묵의 언어인데, 내 안에서 끊임없이 솟는 그 고요의 칭얼거림은 항상 존재의 자신만을 채워달라고 직선의 요구를 내게 해오기 때문이다. 형체가 없어 바람의 메아리로 돌아와 내안의 나를 두드리는 내면의 언어는, 오직 내적 나를 채우는 것일 뿐이라고 나를 쇠뇌 시키면서 내 존재의 두 손목에 은빛수갑을 채워놓았으니 말이다. 그러하기에 나는 나의 내면에게 쇠뇌 당했고, 나를 끌어안고 나를 놓아주지 않는 내적 진정심에 굴복당할 수밖에 없다. 그렇기 때문에 나의 시 쓰기는 지금 내 삶의 실존과 내 영혼의 결핍을 위로하기 위해서만 시를 쓴다. 그러므로 나는 내게 이렇게 말했다.

"내 시는, '외적 보편성' 을 벗은 알몸의 언어이다. 그러므로 나의 언어는 언어에 구속받지 않는 자유의 언어이다!"

015

시.

“시는 순간의 형이상학이다. 시는 우주의 비전과 영혼의 비밀과 사물들의 존재의 속살을 동시에 제시해야 한다.” 가스통 바슐라르 시학이다.

시가 삶이고 삶에서 시의 문장이 발현되는 것이라면 우리의 삶도 순간의 형이상학은 아닌지.

어떤 시인은 시에 대해서 이렇게 말하기도 한다.

“시는 경험적 자아와 이상적 자아가 혼합되어 나타나는 자유로운 감정의 분출이다.”

시에 대한 많은 해석에도 당사자인 시가 이렇게 말했다.

“나는 진실과 허구의 경계를 사유하는 언어의 가슴이다!”

시인들이 얘기하는 시의 정의는 시인들의 시만큼이나 다양하다. 어쨌거나 삶이든 시든 실존과 형이상의 양자관계에서 벗어날 수 없다. 나는 사랑이 없으면 시도 존재하지 않는다고 절대적으로 사랑을 숭상하는 사람인데, 많은 시인이 진부한 문장으로 낙인을 찍어놓은 ‘사랑의 시학’엔 이런 것들이 있다.

“가까이하기엔 너무 먼 당신, 내게서 멀어 가까이 하고픈 그대.” 이렇게 살짝 유치한 문장도 있고, “하나는 외로워 둘이랍니다”라는 소녀 감성 같은 문장도 있는데, 이 문장은 인간 고유의 생래적 감정을 꾸밈없이 이야기한 것이기도 하다. 그리고 “내 사랑은 너희를 향한 무한대”라는 ‘사랑의 절대 시학’이 있다. 그 절대의 사랑이 인간을 향한 신의 사랑이라고 한다. 이 여러 문장

중 최고는 역시 신의 시학인 '사랑의 절대 시학' 일 것이다.

016

시인의 거울.

시인의 거울은 자신을 들여다보는 영혼의 거울이다.

나는 시인인데 내 얼굴을 모르면서 시를 쓴다. 왜일까? 나는 영혼의 거울이 없는?

은有와 비有와 사有와 상상有, 무한지성의 근원을 담고 있는 추상, 그 원형의 언어로 숨겨진 밤의 은하와 달빛 아우라의 번짐을 강 수폭 위에 얹어놓고 밤 물결로 출렁거리기. 중력의 궤도를 이탈해 0의 어둠으로 들어가 어둠이 내어주는 어둠의 속살로 스미기. 내 육체의 실존을 사유하는 영혼의 피부에 시의 옷을 입혀 몽환의 환상으로 시의 알몸을 몽상하기.

시인의 언어는 싸늘한 언어의 낯선 품에서 깨어났다.

017

연민.

잘난 사람이나 못난 사람이나 부자나 가난한 자나 권력자나 무 권력자나 인간은 영원한 연민의 대상이다.

어느 날 나는 내 미세한 감각의 현미경을 통해 내게서 보여 지지 않고 감추어져 있었던 '연민의 세포' 를 발견했고, 그로 인하여 인간 고유의 유전인자에 '연민' 이 새겨져 있다는 것을 알았다.

018

어떤 사람을 미워하면서도 그 사람의 장점을 알거나, 그와 반대로 어떤 사람을 좋아하면서도 그 사람의 단점을 읽어내는 것은 쉬운 일이 아니다. 그건 나 자신의 장점과 단점을 알아내는 일만큼이나 어려운 일이다. 왜냐하면 인간은 완전하고 객관적인 인식이 무언지 모르니까 말이다. 객관적인 완전한 인식은 우리가 의식할 수도 없고 존재하지도 않으니까.

019

앞사람의 등 때문에 내가 가려져 안 보인다고 하면서, 나를 더 잘 보이게 하기 위해 뒷사람의 앞을 가린다. 등은 앞을 모르고 앞은 등을 모른다. 내 모습이다.

020

앎의 이해.

"모르는 것을 아는 것이 더 아는 것이다"는 이 한 줄 문구는 누구나가 이해할 수 있는 문구이고, 누구나가 이유 없이 공감할 수 있는 문구이기에 이 한줄 문구는 인간 모두에게 해당되는 문구이다.

인간은 세계가 담고 있는 속성에 대해 얘기할 수 있는 앎의 양은 바닷가의 모래알 크기만큼이나 적다. 그래서인가? 철학자 칼 포퍼는 인간의 지식은 유한하지만 인간의 무지는 필연적으로 무한하다고 했다. 인간의 앎은 세계의 무한함 속에서 유한함의 한

계로만 드러낼 수 있다는 것. 때문에 인간이 모르는 세계의 수수께끼는 허공 전체에 펼쳐놓은 하늘 그물만큼이나 넓고 성긴 것이다. 그런데 이 당연한 진실을 외면하고 인간은 왜 모르는 것보다 아는 것이 더 많다고 자신을 세울까? 왜 모르는 것은 모른다고 자신이 모르는 것을 이해하지 않고 인정하지 않을까?

우리는 모른다는 사실을 스스로 자각할 때, 그 몰랐던 것에 대해 더 알 수 있는 지혜와 만날 수 있다. 오래전의 현자는 이렇게 말했다. "우리에게 유일한 지혜란 우리는 아무것도 모른다는 것을 알고 있는 것이다." 그리고 아인슈타인은, 우리는 우리의 지성이 얼마나 불충분한 것인가를 명확히 알 수 있을 정도의 지성만을 타고났다고 쓰면서, 알고자 하는 노력이 우리를 자아의 굴레에서 해방시킨다고 덧붙이기도 했다. 그리고 너 자신을 알라고 했던 소크라테스는, 나는 내가 아무것도 모른다는 것을 안다고 했고, 공자는 "모르는 것을 아는 것이 더 아는 것이다"는 노자의 이 한 줄 문구에다가 살을 붙여 자신의 문장으로 리메이크했다.

"아는 것을 아는 것보다 모르는 것을 아는 것이 더 아는 것이다."

021

도덕에 대한 도덕의 조울증.

부도덕한 맛을 풍기지 않는 도덕은 소금을 치지 않은 달걀프라이와 같다.

도덕은 인간의 짝 퉁 발명품이다. 원래 인간생명의 근원에는 본질로서의 본성인 자연이라는 자성(自性)의 도덕성이 들어있는데, 그건 애초에 우주 본성이 인간 생명을 설계한 초기도면 안에 기록돼 있는 매뉴얼의 하나이다. 그런데 그 설계도면의 한쪽 페이지를 도용해 본질을 왜곡해 늘어놓은 것이 인간이 발명한 도덕이라는 '짝 퉁' 발명품이다. 이 짝 퉁 발명품은 이른바 '도덕적'이라는 도덕의 가면을 쓴 사람들에 의해서 고안된 해괴한 페르소나의 하나인데, 이 해괴한 짝 퉁 발명품은 인간의 본성을 무기력으로 부패시킴과 동시에, 인간이 누려야 할 자유의 영역을 오염시켜 만성 식중독을 일으키게 하는 불온한 세균이고, 세기와 세기의 인간 역사를 걸쳐 불쾌한 곤혹과 고통의 증상을 야기시키는 인간 최악의 악덕 발명품이다. 이 악덕의 도덕인 페르소나의 권력행태는 권력을 가진 자의 폭력적 합리화에 의해서만 수용되고, 그 집단이 가둬놓은 테두리 안에서만 행위 될 때 도덕으로서의 지위에 오른다. 그런고로 인간의 자유로운 본성을 짓밟고 인간의 의지를 말살하는 이 도덕이라는 짝 퉁 발명품은 상대를 구속하고 억압하는 데에만 유용하게 쓰이는 살상 도구에 지나지 않을 뿐이다. 왜냐하면 이 짝 퉁 발명품은 인간의 머리가 만들어낸 엉터리 모조품이기 때문이다.

022

지옥과 천국을 횡단했던 사랑의 방랑자 단테는, '신곡' 에서 베리길리우스의 입을 빌려 창조주도 피조물도 사랑이 없이는 존재할 수 없다고 했다. 맞는 말인 것 같다. 우주를 창조한 창조의 존재들도 존재에 대한 결핍을 자신들의 피조물인 인간에게 원했다지만, 사랑보다 더 좋은 것을 얘기하라고 하면 창조주의 피조물인 나도 무엇이 사랑보다 더 좋은 것인지 생각이 잘 떠오르지 않더라.

023

루 안드레아스 살로메. 수많은 사람의 사랑과 증오심을 함께 불러일으켰던 폭풍과도 같은 여인.

그녀의 아름다운 몸매와 빛을 발하는 눈매에 대해 클링겐 베르크는 (helene klingenberg)이렇게 찬미했다고 한다.

"루가, 방(장소)에 들어서면 마치 태양이 떠오르는듯하다."

스물한 살의 나이로 니체를 광란의 열정에 빠뜨렸던 루 살로메. 그녀가 살았던 시대로부터 찬사와 비난을 한 몸에 받으면서 많은 남자를 죽음과 파멸로 몰고 간 하인베르크의 마녀. 탁월한 지성과 학문적 예술가로서의 명성을 두루 겸비한 팜 파탈 루 살로메. 신이 부여한 매혹적인 영혼을 가진 루 살로메는 오직 자기 자신이 되기를 욕망하면서 평생 자신 내면의 이상과 치열한 전투를 벌였다. 그렇게 개인 주체성과 자기애의 화신으로 시대의 여러 지성과 자유 사랑을 하며 한 시대를 풍미했던 루 살로메는 자신의 죽음을 앞두고 이렇게 말했다.

"여자는 사랑 때문에 죽지 않는다! 그러나 여자는 사랑의 결핍으로 서서히 죽어간다!"

1969~1994년까지 25년 동안 5부작 16권의 대하소설《토지》를 쓴 작가 박경리는 자신의 삶을 회고하면서, 다음 생에서는 힘 좋은 남자를 만나 시골에서 한평생 농사를 지으면서 행복하게 살고 싶다고, 지극히 평범하지만 평범하지만은 않은 인생 행복 예찬론을 피력하고 다음 생을 만나러 윤회의 광장으로 다시 돌아갔다. 화려한 지성과 미모의 아우라를 발산하며 한 시대를 누렸던 루 살로메는 자신이 원했던 사랑을 한 생애를 통해 경험했지만, 자신의 영혼을 채워줄(채울) 진정한 사랑을 하지 못했다는 쓸쓸한 고백으로 생을 마감했다. 이렇게 세상에 활자화된 사람들은 특별한 능력이 주어진 특별한 사람들인데, 니체는 루 살로

메에게 청혼(사랑)을 거절당하고 광기에 빠져 '짜라투스트라는 이렇게 말했다'를 썼다고 한다.

욕망은 결핍을 통해서 자신의 욕망을 재생한다. 그리고 재생되지 않는 욕망은 스스로 그 욕망의 질료를 파괴하기도 한다. 그러므로 욕망의결핍은 몸의 피부를 감싸는 의상과 같은 질료이고, 본질로서의 욕망은 그 질료의 활동성으로 인해 존재의 모습을 드러낸다.

024

권력.

권력 속성의 99%는 자신 개인의 영달을 위한 권력의 탐욕이고, 나머지 1%는 민중에 대한 선의이다. 다시 말하면, 권력은 민중의 안위를 위한 생각이 눈곱만큼도 없다는 말이다.

그 비루하고 천박한 권력 속성에 부합하여 권력을 향한 속박의 기질을 향유하고자 하는 대중은, 과대망상증에 빠진 정치 권력의 허영과 탐욕을 분별하지 못하고, 자신들을 살육하는 권력의 폭력을 미화하고, 심지어는 그 폭력의 권력을 숭상하기까지

한다. 그리하여 대중은 자신들의 존재를 스스로 무가치하게 만들고, 자신들의 신성한 권리를 권력에 예속시켜 자신들을 노예처럼 부리는 통치 권력에게 자신들의 대중 법을 만들어 몸과 마음을 바쳐 헌신한다는 노예 법조항을 만들어 권력에게 바쳤다. 인간의 본성인 자유의 의지로 권력의 억압에 저항하고 존재의 신성한 권리를 찾기보다는, 오히려 맹목적으로 충성을 바치는 비천한 대중 집단으로 스스로를 격하시킴과 동시에 애완동물을 자처하는 '자발적 노예'의 길을 택했다. 그러하기에 비천한 대중들이 던져주는 여물을 먹고 사는 어떤 하찮은 벼슬아치는 인간 신분제를 들먹이면서, 자신의 주인인 민중들에게 주저 없이 이런 말을 내뱉기도 했다.

"민중은 개돼지 취급을 해야 한다!"

그런데 천박한 망상에 빠져있는 이 비루한 벼슬아치는 또다시 민중을 '레밍'이라고 했다. 민중을 들어 집단을 이루어 절벽으로 투신하는 설치류쥐라고 말이다.

제 모양으로 반죽된 흙덩이! 망상에 빠진 자!

이 천박하고 비천한 망상 속에서 발광하는 자는 중증으로 오염된 자신의 뇌세포를 잘라내야 할 것이다. 착각은 잠깐의 기쁨을 선사하는 뇌의 발작증이라지만, 그 흙덩이로 반죽된 뇌의 발작을 오락처럼 즐기며 오로지 레밍만이 나만의 충족을 쟁취하는 길이라고 쥐를 자처한 설치류 집단이 저들 권력이 아닌가? 바로

저들이야말로 자신 개인의 탐욕과 집단의 이익만을 좇아 권력 집단 속으로 줄지어 투신하는 비루하고 천박한 레밍집단의 쥐들이 아닌가 말이다! 세상의 오물로 꽉 찬 제 뱃속의 오물을 채우고자 평생 자신의 탐욕에 맹종하는 이런 하등 생물 종들이야말로 진정한 시궁창 속의 쥐들이 아닌가 말이다! 정말 한심하고 백번 더 한심하고 백만 번 더 비루하고 그 비루한 철판으로 낯짝을 두른 뻔뻔한 자들! 자신들의 그 비루한 자화상을 전혀 바로보지 못하는 이런 추잡한 하등 생물 종들이야말로 집단으로 떼 지어 절벽 아래로 투신하는 진짜 설치류 생물 쥐인 레밍집단이다!

025

어떤 교활한 자가 교활하게 계획된 계략을 눈먼 대중 앞에 펼쳐놓고 뻥튀기를 하면, 튀겨진 그것의 몸통이 썩은 악취가 담긴 가죽 부대로 팽팽하게 부푼다. 그 교활함의 계략에 마비된 대중들은 깡통의 낟알로 튕겨 나와 뻥튀기로 튀겨져 존재의 씨앗이 제거돼버린 뻥 튀밥이 되는 것이다. 더 나아가 어떤 사악한 집단이 세상을 뻥튀기하면, 지구의 한 부분이 황폐하게 초토화되어 검은 악령들에게 점령당한 암흑의 세상이 되기도 한다. 지구의 회전이 공전 궤도에서 이탈해 제 회로를 잊고 덜그럭거리는 것이다. 인간 세상이 필요로 하지 않는 그런 사악한 악의 탐욕은 세상의 옆구리에 악성 류마티스 통증을 일으키게 하고, 인간에게 돌이킬 수 없는 해악을 끼쳐놓는다. 그런데 그런 사악하고 악마적인 집단들이 없으면 이상하게도 인간은 한없이 외로워져서 존재자체가 어쩔 줄을 몰라 한다.

026

이명(耳鳴).

'이명' 은 특정 질환이 아니고 귀에서 들리는 소음에 대한 주관적 느낌이다. 즉, 외부로부터의 청각적인 자극이 없는 상황에서도 소리가 들리도록 뇌가 귀를 억압하는 상태이다.

이명에 대한 의학의 치료법은 너무나 복잡 난해하기 때문에 치료 자체가 헛갈리기도 하고, 의학적으로 복잡 다변한 치료는 본질적으로 치료가 불가하다. 그렇지만 의학적인 치료가 불가함에도 불구하고 내가 알고 있는 이명 치료에 대한 최고의 치료방법은 아주 간단명료하다. 그런데 그 간단하고 신통한 치료방법은 평생을 걸려 자신이 자신에게 선구적 처방을 해두어야 하는 자가 주치 적 치료법인데, 간단하지만 간단치 않은 이명 치료법은— "세상의 소음은 사람에 의해 발화되기에 사람의 말을 듣지 말고 귀를 닫아라."이다. 이 황당하다 싶은 이명 치료법에 대해서는 전혀 이의를 제기할 필요가 없는데, 이 치료법의 본질은 귀를 아예 틀어막고 귀머거리가 되라는 말이 아니고, 사람의 말은 잘 선별해서 들어야만 하고, 듣는 말의 품새를 귀가 편안하게 느낄 수 있도록 귀의 감성을 충분히 배려해야 한다는 말이다. 그래야 귀가 스트레스를 받지 않고 귀 밖 세상과의 소통이 원활해진다는 말이다. 왜냐하면, 말은 쓰레기의 성질이 포함돼 있으므로 분리수거가 필수적이기 때문이다.

027

인간은 지루함을 참지 못한다. 지루함은 곧 숨 쉬기를 기억하는 것인데, 인간은 숨을 쉬면서 숨쉬기를 잊고 숨을 쉬어야한다. 왜냐면 자신이 숨을 쉬고 있다는 것을 느끼는 그 순간부터 인간은 하염없는 지루함에 빠져드는 것이다. 그 지루함의 불안으로부터 오는 불쾌감은 우리가 느끼는 불명확한 삶에 대한 불안의 정체인데, 그 정체를 알 수 없는 지루함의 불안에게 고립당하지 않기 위해서는 끊임없이 무언가를 찾아서 행위의 노예가 되어 움직여야하는 것이다. 그러하지 않으면 자진해서 불안에게 인사하거나 지루함의 권태가 펼쳐놓은 그물망에 갇혀 미쳐버릴 수 있다.

그런데 신들도 지루함을 견뎌내기가 힘들었던 모양이다. 신들이 피조물(인간)을 창조(만든)한 것에 대한 세 가지의 '설'이 있는데(내가 들은 바로는), 그중 하나가 신들도 지루함을 견딜 수 없어 놀이 삼아 인간을 만들었다는 얘기가 있다(인간이 자신이 만들고 싶은 것을 만들어 놓고 자신이 만든 것을 보면서 즐거워하듯이). 믿거나 말거나 우매한 가정이기는 하지만, 뭐, 그럴 것도 같다는 생각도 들기는 한다. 저 무한진공인 우주에서의 신들만의 고요는 정말로 끔찍하게 무료하고 지루할 수 있는 것일 수도 있는 거니까.

028

인간은 태어나면서부터 평생 질문해야하고, 자신이 행한 자신의 행위를 평생 자신에게 물어야한다. 왜냐하면 인간은 끝없는 의문 속을 헤매며 행위와 질문을 반복하다가 사라지는 존재이기 때문이다. 그러하기에 내게 나에게 묻는 오늘의 물음은 내 삶의 한 축을 차지하고 있는 시 쓰기에 대한 스스로의 물음인데, 나의 시 쓰기가 영혼의 감각과 나의 내면이 원하는 진정성의 지성이 있는가를 진지하게 물었더니, 시는 아무런 대답이 없다. 이런 나의 물음에 입을 굳게 닫고 시는 내게 대답을 주지 않으므로 시를 쓰는 나의 행위를 도무지 알 길이 없고, 그래서 나는 나를 모르겠고, 시를 왜 쓰는지 시를 쓰는 나의 행위를 내가 모르겠다. 그런데 사실 이 물음은 오래전에서부터 내가 내게 물어온 물음이었는데, 그렇게 오랜 세월 시에게 나를 물었어도 시는 아무런 대답을 해주지 않는 것이다. 그 묵언의 대답에 잠겨 현실의 한 부분을 수면 아래로 수장시켜버린 실존의 감각들이 가끔 나를 우울하게도 했다. 그렇기에 현실의 내 삶에 또 하나의 짐을 제 손으로 스스로 얹어놓은 것이라고 내가 선택한 나의 시 쓰기를 탓하기도 했는데, 시는 엉뚱하게도 내 머리 위에 올라앉아 나를 우스꽝스럽게 만들고, 내 마음을 허풍스러운 허영에 젖게 하고, 내 마음의 감각을 어지러운 환영에 잠기게 했다. 나의 실존은 실존의 현실감각을 잃어버렸다. 그러하기에 나의 시 쓰기는 현실이 필요로 하지 않는 불필요한 노동이므로, 내 감각의 지성과 감성의 에너지를 쥐어짜서 시를 써보았자, 내가 쓴 시에서 내가 마실 한 잔 술도 나오지 않고 일용할 한 그릇 밥도 얻지 못하는데 나는 시를 쓴다. 마치 어린아이가 공을 차면서 공차기를 즐기듯이, 한 인간이 술을 마시고 푸념을 늘어놓으면서 푸념을 잇듯이, 또는 사소한 일상을 맛있게 소화시키는 순진한 여자의 표정으로 나는 시를 쓰는 것이다. 나의 시 쓰기가 내 실존의 현실쯤이나 되는 듯이 착각 아닌 착각을 하면서 말이다.

그리하여 한잔 술도 나오지 않고 한 그릇 밥도 얻지 못하는 나의 시 쓰기가 오늘의 불평이고 평생의 불만이 될 것인데, 그럼에도 불구하고 내 삶의 일부를 시에게 그냥 던져주었더니, 시도 어떤 연민의 뜻이 있긴 있었는지 내게 선물하나를 툭 던져주었는데, 그 선물은 형체가 없어 보이지도 않는 무엇이었다. 그런데 그 형체가 없어 보이지 않는 그 무엇이 나의 내면으로 쑥 들어와서 내면의 귀에 가끔 이렇게 소곤거렸는데,

"만약에 너에게서 내가 없었다면 너는 인간의 삶을 살지 못했을 거라고!" 말이다. 정말 눈물겨운 말씀이다.

029

인간 세상에서 인간이 행하고 실천하는 딱 하나의 진실이 있

다. 그 하나의 진실은 어머니의 사랑이다.

어머니는 완전한 생명이다. 우주 만물의 생명 세상에는 바뀌지 않는 불변의 진실이 하나 있는데, 그건 사랑의 본질을 담고 있는 어머니의 모성이다. 모든 생명체의 어머니(어미)는 생명을 낳고 생명을 기르고 그 생명을 존속시키는 존재이기 때문이다. 그러하기에 자식에 대한 어머니의 사랑은 조건이 없는 무제한의 베풂인데, 그건 자신이 낳은 생명이 자신의 몸 안에서 자신의 살과 피로 만들어진 생명이고, 내 몸으로부터 나온 자식은 나의 분신이자 나의 분신은 곧 내 몸이기 때문이다.

어머니는 언제나 숭고한 모성의 전형이고, 가장 고귀한 사랑의 본성이다. 우주의 본성인 무한사랑은 만물의 모든 생명체에게 주어진 본성이기도 한데, 이 사랑의 법칙은 우주의 율법이다. 이 율법은 바뀌지도 않고 변하지도 않는 영원한 창조의 불변이고, 이 불변의 율법은 성에 구분 없이 모든 양성에게 부여된 사랑의 율법이기도 하다. 그럼에도 이 사랑의 율법은 특히 어머니라는 이름의 여자에게 창조가 부여한 '특별한 율법'이기에, 어머니 존재는 이 사랑의 율법을 자신의 몸과 영혼에 고스란히 담고 있다. 그러므로 어머니의 사랑은 멈춤이 없는 무한이어서 우주의 넓이와 같은 것이다.

마당 한쪽엔 엄마가 바라보며 미소 짓던 홍매화 꽃이 화사하게 피었다. 봄은 그맘때 봄인데 홍매화 꽃만 붉게 피었다. 엄마가 보고 싶다.

030

하나의 슬픔을 알기 위해선 한 생애의 희로애락을 녹여내야 하고, 하나의 기쁨을 얻기 위해서는 한 생애의 슬픔 전부를 바쳐야한다. 그리고 사랑을 알기 위해선 어머니가 되어야 한다.

031

감성과 이성.

감성으로 사물들의 감정을 이입시키면 이입된 감정에서 따뜻한 평화의 에너지가 생성되고, 이성으로 사물을 분별하면 분별된 사물들의 감성에선 차가운 이질감의 에너지가 분출된다.

인간의 역사는 힘의 역사이고, 힘을 분출하는 이성의 역사는 힘이 지배하는 광기의 역사이다. 하여, 힘의 권력은 살생의 폭력을 정당화하는 광기의 전유물이고, 힘을 숭배하는 인간의 이성은 쇳물을 가득 채운 거푸집 속 쇠망치를 만든다.

여자의 감성은 화해와 평화를 추구하고, 남자의 이성은 분쟁과 전쟁을 숭배한다. 그러므로 여자는 구원의 상징으로 기록되고 남자는 파괴의 전범으로 기록된다.

이성과 감성의 조화, 음양의 에너지, 이 둘의 조화로운 이상적 능력이 우리 인간에게 있었다면 인류는 진즉에 평화로웠을 것이다. 괴테는 영원히 여성적인 것이 우리를 이끌어 올린다고 파우스트 마지막 페이지에서 인간의 구원을 얘기했고, 쉴러는 자신의 시 <여성의 존엄>에서 난폭하고 파괴적인 남성을 정화시키는데 여성의 아름다운 영혼이 필요하다고 했다. 총 3연으로 쓰여 진 24행 쉴러의 시 중, 2연과 3연이다.

> 남성의 노력이란 분쇄 파괴적으로
> 적대적이며
> 난폭자로 쉬거나 멈추지 않고
> 인생을 종횡한다.
> 히드라 뱀의 머리가
> 영원히 떨어졌다 다시 생겨나듯,
> 자신의 창조를 다시 파괴하고
> 욕망의 싸움을 멈추지 않는다.
>
> 그러나 여성은 조용한 타이름으로
> 도덕의 황홀을 유지하고,
> 광란으로 타오르는 불화를 꺼주며
> 서로 적대 증오하는 세력을 지도하여

사랑의 형태로 서로 감싸도록 하고
영원히 서로 간의 도피를 합쳐준다.

032

우연에 대하여.
『우리는 모두 별이 남긴 먼지입니다』를 쓴 '슈테판 클라인'은 자신이 쓴 <우연의 법칙>에서 우연을 두 가지로 해석한다.

하나는— 우리가 다르게 설명할 수 없거나 '설명하고 싶지 않은 것.'
둘은— '아무도 의도하지 않은 일'이 무엇과 맞물려 의미를 가지고 다가오는 것.

인간이 세계에 대해서 설명할 수 없는 것은 무한대로 있지만, 설명하고 싶어 하지 않는 것이 있을까? 다시 말하면, '우리가 다르게 설명할 수 없거나' '설명하고 싶지 않은 것'은 애시 당초 우리가 설명할 수 없는 그것들에 대해서 말할 수 없는 지성의 한

계를 말하고자 하는 것이리라. 그리고 아무도 의도하지 않은 일이 어떻게 의도로부터 무관한 그 무엇과 맞물려 의미를 가지고 우리에게 다가오는가? '아무도 의도하지 않았던 일'이 무엇과 관계된 사건으로 우리에게 다가올 수가 있는 것인가?

우연이란 우리의 사고가 인식하는 영역 안에서 일어나는 지각의 환상이다. 우리가 우연이라는 모호함에 우연의 단어를 만들어 가두어 놓는 것은, 그 우연 속에 담겨져 있는 우연의 실체 성을 알아낼 수 없는 우리 감각의 한계 때문이다. 두 개의 톱니가 서로 맞물려 서로의 에너지를 공유하듯이, 어떤 의도와 어떤 의미 없이 우연히 일어나는 일은 없으며, 대상의 전체와 분리되어 독립적으로 존재하는 사건은 없다. 모든 만물은 살아 움직이는 생물이고, 대상과의 관계 속에서 운동하는 에너지장의 진동이기 때문이다. 때문에 생명으로 움직이는 것들은 한순간도 쉬지 않고 서로의 관계망을 형성하고, 그 관계망의 관계를 통해서 어떤 의미를 생성시키고 있다. 단지 우리의 감각이 그것들을 따라가지 못하고, 그 관계의 순환을 인식하고 있지 못할 뿐이다. 의미의 실체란 우리의 눈과 감각 밖에서 서로의 관계망을 형성하며 순환하고 있는 만물의 운동 자체가 우리가 모르고 있는 의미의 실체인 것이다. 나와는 연관되지 않는, 내 인식 밖의 모든 관계는 무의미라고 의미의 단절로 치부하는 것은, 모든 만물이 서로가 상관성의 의미를 가지고 운행되고 있다는 것을 알지 못하는 무지를 말해주는 것일 뿐이다. 움직임이 없거나 의도되지 않는 그 무엇은 존재할 수 없으며, 무언가와 무언가의 관계에 의해서 모든 에너지의 순환운동이 이루어지는 것이다. 우리의 숨겨진 생각과 행위가 우리에게 '의도된 우연' 을 만들어내는 것처럼.

033

인간은 망각을 즐기면서 망각의 삶을 산다. 망각이 아닌 건 현실이 아니고, 망각 속에 사는 건 실제인 현실이다. 현실과 비현실, 추상과 현상, 실존과 형이상이 공존하는 다원의 세계. 모든 생각의 밀도가 또 다른 밀도의 다른 에너지와 함께 뒤섞여 어우러진 공간. 이 지구 행성에서의 삶은 실존과 신비의 동시 파노라마가 멋지게 펼쳐지는 환상의 장소이고, 스스로가 환상이 되어 환상의 실루엣을 입고 환상 극의 무대를 체험하는 흥미진진한 다 세상의 실제 공연장이다.

034

영성.

다른 세계와 사물, 다른 차원의 감각, 그것을 느끼고 볼 수 있는 영혼의 눈이 있다면――.

영성은 인간의 삶을 왜곡하지 않고 존재의 참된 것을 얘기할 수 있는 본질로서의 본성의 거울이고, 외적 현상에 갇혀있지 않는 자유로운 정신이며, 인간 삶의 역동성을 추구하는 창조의 정신이다.

영성은 과학적으로 설명할 수 없는 신비한 어떤 것을 의미하는 것이 아니며(물론 과학이 영성을 설명할 수 없다. 우리는 과학이 세계의 모든 것을 설명해주리라고 과학의 지식에 기대지만, 과학이 세계에 대해서 설명할 수 있는 건 거의 없다고 하면 틀리지 않을 것이다. 예를 들어 과학은 전체우주에 속해있는 에너지를 3%만 확인할 수 있으며, 확인된 그 3%의 에너지마저도 어떤 과정을 통해서 생성되었는지 그 과정을 모르고 있다. 과학에 대해 진실을 얘기하는 과학자는 과학이 우주에 대해서 아는 것이 별로 없다고 솔직하게 말한다), 지금의 객관적인 상황을 넘어서서 새로운 차원으로 세계를 볼 수 있는 능력, 현재의 자기 자신과 환경 너머의 의미와 가치를 찾는 힘을 말한다.

그리스 철학자 '이암 블리쿠스'는 영성을 알고 영혼의 비밀을 알면 존재가 자유로워진다고 했다.

035

생각은 말을 낳고, 말은 내 몸을 빠져나가 너에게로 가서 너의 옷을 입는다.

말은 이곳과 저곳을 건너뛰고 널뛰고 그 널판지 위에서 어깨를 흔들면서 춤의 율동을 멈추지 않는다.

발이 없어 떠도는 말은 효율적이고 비효율적인 생각의 전달자이다. 말의 속성이 그러하기에 말은 효율과 비효율의 변죽을 반복하면서 잘못된 해석이나 오해의 불씨를 낳곤 한다. 말이 담고 있는 말의 속성이 그렇다고 말이 말하더라. 내가 던진 한마디 말이 부메랑의 날개로 날아와 내게 꽂힌 화살의 촉수가 몇 개 일까?

아리스토텔레스는 자신의 '수사학'에 이렇게 썼다.

"말(로고스)이란 세 가지로 이루어진다. 말하는 자와 말에 담기는 내용, 그리고 말이 향하는 대상이다. 말의 목적은 마지막 것과 관련되어 있는데, 그건 듣는 사람의 말이다." '듣는 사람의 말이다'라는 마지막 구절에서 말의 의미는 의미의 생명력을 갖는다.

우리의 생각에서 파생되어 구체적인 현실이 되게 하는 말은 인식의 파동으로 의식의 공간을 확장시키기도 하고, 그 확장된 공간에서 자신의 집을 짓고 또 그 집의 기둥을 허물기도 한다.

말 속에 담긴 말의 아우라.

말은 사유의 물감이고, 마음이 색칠하는 언어의 회화이다.

036

추상.

실제로나 구체적으로 경험할 수 없는 보이지 않는 세계를 보고자 하는 인간의 열망.

추상은 현상세계로부터 우리를 분리시키는 사고임과 동시에 불가능한 것을 상상할 줄 알게 하는 능력이기도 하고, 세계의 속성을 파악하고 세계의 구조와 사물이 작용하는 원리를 깨닫게도 해준다.

"추상을 사용하는 힘은 지성의 본질이다" 버트런트 러셀이다.

모든 만물은 질서의 순환 운동이다. 하지만 그 보이지 않는 질서의 비밀은 우리에게 추상이라는 막연한 상을 인식하게 한다. 현상의 바깥에는 추상이 있고, 외면의 안쪽에는 보이지 않는 내면이 있다. 그러므로 현상적인 것과 추상적인 것이 따로 있는 것이 아니며, 인간에게는 이 두 가지가 함께 있다. 인간은 이 두 가지와 공유됨과 동시에 그 둘을 소유하고 있다. 하지만 추상의 면적은 너무나도 넓은 무한의 면적이어서, 현상적 사고의 우리는 추상의 입구에 서서 길을 잃는다. 무한을 상징하는 추상의 본체는 형체를 감춘 영원성의 질료이므로, 우리가 추상을 사용하는 것이 아니고 추상의 지성이 추상의 사유로 우리를 이끈다.

추상과 현상, 육체의 물질성과 마음의 비 물질성.

인간은 현실의 욕망을 위해 행위 하는 생을 살지만, 현실 너머를 꿈꾸는 추상적 존재이다. 그러므로 현실이 배제된 이상은 없고, 이상이 배제된 현실도 존재하지 않는다.

037

현상의 입구를 떠나서 현상의 터널을 지나자 상상의 입구에 섰다. 상상의 터널을 들어서서 상상의 터널을 통과하자 추상의 입구가 나타났다. 추상의 긴 터널을 추상으로 들어서자, 추상이 세운 추상의 형상이 나타났다. 그러나 추상의 형상은 볼 수가 없었다. 그 추상의 형상은 자신의 무형을 무형으로 드러내어 무형의

상(象)을 보여주는 무형의 아름다움이었다.

세상에 없는 풍경이 풍경의 속살을 드러내 보여주는 발견의 만남.

나는 보이지 않는 것을 보기 위해 빛보다 먼저 달의 그루터기로 달려가 달의 동산 바위 턱에 걸터앉았다. 세상의 지붕 위엔 흰 별들이 무수히 피어 하얀 꽃밭을 만들고, 어둠의 어깨를 둥그렇게 펼쳐놓은 밤의 너울이 추상의 형상으로 둥글게 둥글었다.

내 마음이 붓질한 한 폭 추상화. 그 상상의 기억이 피워낸 풍경 너머의 풍경.

038

부정의 난센스.

맹목적 부정은 부정의 이유를 알지 못하는 것에 대한 이해부족에서 오는 궁핍의 표정이고, 자신이 이해할 수 없는 것에 대한 무지의 저항이다.

우리는 어떠한 것을 부정하고자 할 때, 자신이 부정하고자 하는 그 부정의 이유를 알고 있는 듯이 행동한다. 그렇게 행동하고 있는 자신의 행동을 자신도 알지 못하면서, 마치 새의 이름만 알고 있으면서 새의 모든 것을 알고나 있는 듯이 말이다. 인간은 땅과 하늘의 형상을 가진 신비로운 존재이기도 하지만, 긴 뿔 모자를 머리에 얹은 귀여운 어릿광대이기도 하다. 하여, 내 안의 어릿광대는 내게 이렇게 말했다.

"네가 알지 못하고 이해하지 못하는 것에 대해서는 질문하거나 생각해라. 생각도 질문도 싫으면 입 다물고 침묵해라!"

039

혹독한 추위에도 마음만은 평온했던 지난겨울엔 홀로 노인들만 있는 세 가구 마당에 쌓인 눈을 치우느라고 새벽운동을 꽤 했었는데, 올해에는 눈을 치웠던 일이 기억에서 떠오르지 않고 겨울바람의 발목만 굵어 긴 겨울의 한파를 더디게 건넜다.

올해엔 노환이 깊어진 옆집 할머니가 돌아가시고, 주인을 잃은 빈집의 서까래가 겨울바람처럼 차갑게 흔들려 덜컹거렸다. 모두의 삶이 그러하듯이 할머니도 가족을 위해서 한평생 수고한 삶을 살다 가셨다. 힘겹게 주어진 한 생애의 노고를 마치고 천상의 본향으로 돌아간 할머니의 고단한 생이 생의 겨울바람처럼 시리다. 사람은 태어나서 주어진 생에 창조의 의미가 부여된다는데, 나는 죽음과 삶 사이에서 어떤 모습의 나로 내 모습을 바라보는가. 지난해나 올해나 내 사고의 의식은 어제의 제자리에서 관습처럼 굳어져 변할 기미를 보이고 있지 않은데 만물의 자연은 시시각각 저의 모습을 변화시키고 있다.

040

작비금시(昨非今是).

지난 잘못을 걷고 옳은 지금을 간다.

인간은 무엇을 배우기 위해서는 먼저 잘못을 저질러야 한다.(당연한 말이지만). 잘못된 실수나 행동은 자신의 생각을 넓히고 깨달음을 얻는데 도움이 되기 때문이다. 그건 자신을 의식의 성숙으로 한발 나아가게 하는 도약의 길이고, 삶의 동력에 필요한 힘이자 창조성의 진일보이기도 하다.

041

착각.

너는 십 년 후의 너를 생각하면서 말한다. 마치 십 년 후의 그때가 지금의 너인 것처럼. 나는 십 년 전 일을 지금의 시간 위에 올려놓고 시간을 모자이크하고 있다. 마치 지금의 내가 십 년 전 그때의 나인 것처럼.

우리는 현상과 추상, 현실과 비현실이 중첩된 세계에서의 삶을 산다. 현상보다는 추상의 언어로 삶을 얘기하고, 현실보다는 비현실의 언어와 상징에 더 친숙해져 있다. 꿈과 현실, 현실과 비현실이 중첩된 이 세계가 '완벽한 현실'이라는 이상한 착각 속에 우리의 삶이 길들어져 있다. 왜 그럴까?

042

"성실하게 사십시오!"

수십억 재산을 가지고 있는 재산가가 정중과 비난을 합성한 묘한 표정으로 내게 말했다. (그 재산가는 팔다리의 성능이 마비될 때까지, 자신의 몸이 자신의 몸을 비난할 때까지 재산을 모으지 않을까? 내가 죽을 날을 콧등 위에 올려놓고도 시 문장 한 구절을 중얼거려야 하듯이. 이건 우리 인간에게 주어진 살아있음의 의무이다). 내 면전에서 자신의 부를 과시하는 듯이, 아니면 내 추리한 꼬락서니를 봐주기가 안됐다는 듯이 말이다.

날을 갈아 촉을 세운 화살이 옆구리의 살점을 휙 뚫고 지나가고, 내 감각의 충돌로 전이 현상을 일으킨 내 몸 안 세포들의 서늘한 등줄기엔 두통 같은 두드러기가 하얗게 돋았는데, 내 육신의 오한을 감지한 세포들이 황금아우라를 두른 재산가의 설법을 짧게 즐겼으므로 이초, 삼초, 사초, 이십 초쯤이 지나가자 굳어있던 혈관 속 혈액들이 흐르는 물의 표면처럼 부드러워지고 마음엔 어느새 평온이 왔다.

생각해보면 내게 성실하게 살라는 재산가의 말은 맞는 말이다. 그 재산가의 말은 고칠 필요가 없는 완벽한 사실인 것이다. 나를 돌아보면, 내 삶에서 성실이라는 진정성의 옷을 지어 입은 단어는 나와는 상관이 없는 먼 산골짝 다람쥐가 입은 줄무늬 옷이거나, 전생의 어두운 골목에서 검은 옷을 입고 하릴없이 서성거렸던 검은색조의 검은 그림자였을지도. 아니면 애초부터 성실이라는 단어가 내 삶에는 존재조차 하지 않았는지도 모를 일이다.

그런데, 나의 비성실로 인해서 누군가가 내게서 몇 푼의 돈을 빼앗겼거나 자신의 재산을 축낸 적이 있는가? 아니면 나의 비성실로 인해 마음이 아팠던 그 누군가가 있는가? 그런데 생생한 기억의 화살로 날아와서 내 중심에 꽂히는 화살촉의 기억이 저만치 떨어져 있던 상처의 기억을 불러냈는데, 정말, 내 비성실의 무능으로 인해 삶이 힘들었고 실제로 아팠던 사람이 있다. 그 사람이 나의 아내다. 그 재산가의 말은 나의 비성실로 인해 부조리했던 내 삶의 궤적을 완벽하게 꿰뚫었고, 비성실의 이름표인 내 가슴의 표적 판을 정확하게 명중시켰다. 나는 비틀거리며 널브러져 있는 내 비성실의 불면 조각들을 두 손을 펴 두 손바닥 위에 가지런히 올려놓고는 다시금 곰곰이 생각했다. 지금껏 살아온 나의 삶이 나의 비성실로 인한 지난 상처를 불러와 지금의 나를 우울하게 하지만, 또 내 자신에게 충실하지 못했던 그때로 나를 내던져 그 상처의 아픈 기억을 되새겨놓기도 했지만, 나는 지금 이후부터의 삶도 예전과 같이 성실하게 살기로 마음먹지 않았다. 나는 성실의 단어를 단호하고 완벽하게 찢어버린 후, 내 의식의 광장 한복판에 비성실의 깃발을 꽂았다. 성실의 가면을 쓰고 물질의 고고함을 찬양하는 성실이라는 그 단어를 내 의식의 단두대 위에 세워 내 앞에서 영원히 사라지게 했다.

이러한 결정은 내가 살아온 삶의 과정에서, '숨쉬기의 정의'를 일상의 원탁 위에 올려놓고 나의 내면과 논의를 거듭한 끝에 내렸던 단순 명쾌했던 결정인데, 왠가 하면 성실이 삶의 전부인지, 현실이라는 구체적인 것이 실제적인 삶의 현실인 건지, 또 구체적인 현실이 나의 삶을 구체적인 성실한 삶으로 나아가게 하는 것인지, 아니면 내 삶의 전부를 헌납해서 얻어진 물질과 물질의 집착을 위한 풍성한 고난이 내 인생을 진정으로 행복하게 해주고 나를 즐겁게 해주는 것인지 나는 정말 모르고, 애초부터 몰랐고, 진실로 모르고, 모르는 것을 나는 알고 있으니까.

043

인간은 지금 자신이 소유하고 있는 것에 만족하지 않는다. 그 것은 인간이 추구하는 세속적 욕망이지만, 그 욕망이 또 다른 진보로 나아가는 창조의 역동성이 되기도 한다. 그 역동성의 창조가 어느 방향을 향하는 무엇일 건가는 가늠할 순 없지만.

044

알베르 카뮈.

행동하는 지성, 나는 군더더기 없이 명료하게 자신을 드러내는 카뮈의 솔직함이 좋다.

"폭력 · 증오 · 역사 · 모욕 · 그런 것들은 인간에게는 삶이 될 수 없어. 참다운 삶이란 그 반대이거든. 그게 사랑이지."

카뮈는 노벨문학상 수상연설에서――.

작가란 역사를 만들고 역사 위에 군림하는 사람에 대해서 글을 쓸 것이 아니라, 역사에 지배를 받는 사람들에 대해서 글을 써야 한다고 했다. 절대 공감.

인간의 역사가 펼쳐놓은 인간 역사의 현장에는 힘없는 무수한 사람들의 피와 목숨의 희생이 있었다. 그럼에도 인간이 쓴 역사의 기록에는 어떤 광증의 지배자나 약탈과 살생으로 이름을 남긴 정복자의 광기에 대해서는 장편의 서사를 역사의 장편으로 읊어댔지만, 약자들의 거대한 희생에 대해서는 아무것도 기록되지 않았다. 인간 스스로가 밝힌 정신 이상적인 병적 기록이자, 힘의 권력을 숭배하는 천박하고 파렴치한 역사의 기록이다.

045

미투.

지금 이곳 대한민국은 별의별 갑질이 만연해 있는 갑질 공화국.

미투는 여성의 일만이 아닌 세상 전체의 일이자 인류 전체의 일이다. 인간 권력의 역사는 수천수만 년의 길고 긴 시간을 살생과 억압의 가증스러운 힘의 폭력으로 상대적 약자를 짓눌러왔다. 때문에 힘의 폭력은 인류에게 인간이 행하는 비인간적인 야만의 악행이기에 인간 세상에서 영구히 추방돼야 할 일급 범죄이다.

바빌로니아 6대왕 함무라비가 만든 법전에는 이런 법조항이 있다. "법은 강자가 약자에게 부당한 짓을 저지르지 않게 하기 위해 존재한다."라는 것이다.

그런데 법은 약자를 지켜주고 만인에게 공정한가? 또 법을 만드는 권력은 자신들에게도 공정하고 평등하게 법이 만들어지길 원하고, 또 만들어진 그 법이 자신들에게도 공정하게 집행되기를 원하는가? 법은 만인에게 공정과 평등을 위해 존재한다고 하지만, 만인에게 결코 평등하지도 공정하지도 않다. 그렇기 때문에 인간 권력이 만든 인간의 법은 예나 지금이나 법을 만든 강자가 약자를 수탈하고 살생을 자행하는 권력의 도구에 지나지 않는다.

046

어떤 이는 책상 앞에서 얻은 지식과 학문으로 자신을, 나아가서는 세상을 이해할 수 있다고 했는데, 그건 하나는 알고 둘은 모르겠다는 말이나 다름이 없다. 바꿔 말하면 책상 앞에서의 나는 반 토막 지식인에 지나지 않는다고 스스로를 반 토막 지식인으로 자인하는 일이다. 왜냐하면 지식과 학문도 체험을 동반한 신실한 앎이어야만 진정한 학문으로서의 자신의 것이 되기 때문이다.

지식의 갖춤이란 지식의 양을 뜻하는 것이 아니다. 그것은 지식을 올바른 방향으로 활용해 자신의 힘으로 앎을 생각하고 판단하는 능력, 자신과 세계의 의미를 표현하고 표출할 수 있는 자성의 지성능력을 가진다는 뜻이다. 아무리 지식이 많아도 관습과 제도 뒤에 감추어진 거짓을 꿰뚫어 보지 못한다면 지식이란 화려한 옷으로 몸을 치장한 마네킹의 무미한 미소에 다름 아니다. 그건 거울을 끼울 틀은 있는데, 정작 거울이 없는 것이나 다름이 없다.

047

인간은 스스로 배울 수 있는 것이 없다. 그렇기 때문에 모든 만물로부터 배워야 하는 것이 배움의 방법이고 세상의 지혜가 알려주는 인생 설법이다. 삶을 배워야 하는 방법이 그러하기에 무엇을 만나든 그 만남으로부터 무엇인가를 배울 수 있는 사람이 자신의 덕을 갖춘 지혜로운 사람이다. 사기꾼과 도둑들로부터 배울 수 있는 인생의 진지함이 있고, 자신의 손가락이 베인 칼날로부터 칼날의 섬세함을 느낄 수 있는 칼날의 사유가 있고, 또 순진무구한 아이의 얼굴에서 자신의 얼굴을 찾아내는 담백한 인생 철학도 있다.

타자는 나의 교사이고 타자와의 관계는 배움의 거울이다. 나는 너에게서 다른 나를 보고, 너는 나에게서 다른 너를 본다. 인간은 서로 다른 것과 마주쳤을 때 새로운 인식의 표용으로 자신의 다른 모습을 발견해낼 수 있는 것이다.

지혜는 세상 곳곳에 머문다. 세상에서 버릴 건 하나가 없다. 세상의 어느 곳, 어떤 것에서도 배울 것이 있다. 모든 것이 모든 것에 들어있다.

048

다름의 조화.

서로 다름의 조화를 모르는 사람은 상대의 다름을 외면하고 배척한다. 자기 자신이 상대와 다르다는 것을 인식하고 있지 않기 때문이다. 이건 이성을 가진 인간으로서 이성의 무지를 불러일으키는 착각의 한 장르인데, 인간은 이 착각도 아닌 착각 속에서 천 년 만년 헤어나질 못한다. 왜 그럴까? 인간은 자기 자신이 불완전한 인간이라는 것을 인식하고 있지 못하기 때문일까? 아니면 불완전한 자기 자신에 대한 절대 연민의 자기 위로일까?

모든 사람의 사고와 생각은 모두 다르고, 모든 사물의 모양과 색깔은 제각각 다르다. 이건 누구나가 알고 있는 명확한 사실인데, 이 사실을 잊고 있는 것 또한 명백한 사실이다.

우리 앞에 보여 진 대상을 어떻게 보느냐에 따라, 보여 진 그 대상이 경이로운 것이 되거나 아무것이 아닐 수 있다. 때문에 어떤 대상을 편협 된 시각으로 보지 않고 온전한 방식으로 본다는 것은, 우리에게 보여 지는 대상이 다양한 모습으로 인식되는 일인 동시에, 자신의 인식에 대한 사유도 다양하게 폭을 넓히는 일이다.

서로의 다름을 다름이 아닌 조화로 보기 위해 마음을 열고 두 눈을 활짝 뜨기. 고정된 자기중심적 관점에서 벗어나 다원의 세계에서 사물을 바라보기. 각자 저마다의 색깔로 흔들리는 들판의 꽃들처럼. 저마다 다른 각자의 소리로 무대의 음을 채우는 조화로운 재즈의 선율처럼.

049

“저 엎어놓은 사발을 하늘이라 부른다. 그 하늘아래 갇혀 우리는 평생을 살아간다.” —오마르하이얌

시집 한 권, 빵 한 덩이, 포도주 한 병,
나무 그늘 아래서 벗 삼으리
그대 또한 내 곁에서 노래를 하니
오, 황야도 천국이나 다름없어라

빵 한 덩이, 포도주 한 병의 진실.
시인이자 천문학자 수학자인 페르시아의 ‘오마르하이얌’은 술집에서 문득 본 진실이 사원에서 잃은 진실보다 귀하다고 썼다.
사원을 떠난 진실은 집이 없어 세상을 떠도는 유목의 한 끼 양

식이고 한 잔의 술이다. 그리하여 집을 잃고 떠도는 진실의 귀함은 술집에도 있고 사원에도 있다. 하여, 진실의 그릇은 진실을 담아놓은 빈 그릇이므로 사창가 홍등에도 붉은 등을 밝히는 진실의 양식이 있고, 제 무게로 힘에 겨워 잔뜩 먼지만 뒤집어쓴 사원의 법상 위에도 한 끼 진실이 놓여있다. 그렇기에 우리가 찾는 진실은 어느 곳에도 없고, 아무 곳에나 있다.

진실은 유목이다. 진실은 정착함이 없는 유목의 바람이기에 인간은 진실의 실체가 무엇인지 찾지 못하고 붙잡지 못한다. 그러므로 세상의 진실은 집이 없는 유목이고, 세상의 모든 거처가 진실의 유목을 쉬게 하는 집이다. 하여, 진실이 숨겨져 있는 사원에도 사창가 홍등에도 부적처럼 걸려있는 진실은 팔락거리는 날개로 춤추는 나비의 날개이고, 그 날개를 뒤쫓는 채집망은 성긴 허공이 펼쳐놓은 허공의 그물이다.

팔락이는 나비의 날개——.

인간은 진실의 날개를 채집하는 진실 채집가이고, 진실의 날개를 박제하는 박제사이다. 그러므로 인간은 진실 채집가이고, 세상의 진실을 박제하는 진실 박제사이다.

050

인간은 끊임없이 진실의 모양을 깍고 다듬고 세공하면서, 끊임없이 진실의 거짓을 생산해낸다.

051

불완전함의 진리.

'완전함' 이란 불완전한 인간이 완전함을 희망하면서 만들어낸 허구의 문구이다.

우리가 말하는 완전의 모습은 '형태의 완벽함' 을 말하는 것인데, 형태의 완벽함은 그 완벽함 자체가 변함이 없이 고정돼 있고, 고정돼 있는 그 자체로 변하지 않는 것을 말한다. 때문에 완벽함 그 자체의 형태로 멈춰있는 것이 있다면 그것은 진리이다. 왜냐하면, 그건 완성된 자신을 드러냈기 때문이다. 그러나 모든 것은 끊임없이 변하고, 그 변화의 영원한 흐름 속에는 정지돼 있는 그 어떤 것도 없다. 모든 만물은 순간을 멈추지 않고 움직이고 있으며, 그 쉼 없는 운동에 의해서 자신의 에너지를 생성시키고 있기 때문이다. 우주조차도 끊임없이 변하므로(우주는 한 순간도 쉬지 않고 에너지 질량의 밀도를 높이며 팽창과 수축을 반복하므로) 우주의 형태도 완전함을 갖추지 못했기 때문이다.

모든 변화는 운동의 과정이고, 그 움직임의 순환은 창조의 연속이며 진화의 과정이다. 그렇기에 우주 만물의 모든 것이 변하는 순환 과정에서 변하지 않는 것이 없으므로 형태의 불완전만이 완전함의 진리라고 말해야 한다. 때문에 우리는 진리의 모양에 대해서 이렇게 얘기해야 한다.

"모든 것은 끊임없이 형태를 바꾸므로 형태가 완전하지 않은 것이 완전함의 진리이다!"라고.

052

"감정은 느낌이 아니다. 인간은 감정을 발휘할 때 생각을 거의 하지 않는다. 감정(두려움, 분노, 공포)은 뇌의 '하위부서'에서 들어 올리는 '경고용 적색 깃발'에 지나지 않을 뿐이다."

이 말은 신경과학자가 자신의 책에서 한 말인데, 인간의 감정을 왜곡, 모욕하는 말에 다름 아니다.

감정은 우리의 마음을 통해서 우리에게 보내는 내면의 메시지이다.

인간의 감정은 세상 너머의 풍경까지 이른다고 한다. 그 무한의 풍경을 만들어내는 인간의 감정이 우리 뇌에서 일으키는 단순한 화학작용에 지나지 않는 것일까? 이 신경과학자의 말대로 인간의 감정이 인간 뇌의 '하위부서' 에서 흔들어대는 '경고용 적색 깃발' 에 지나지 않는 것이라면, 인간의 감정이라는 것은 매인 울타리 안에 갇혀 짖어대는 짐승의 울음에 지나지 않을 것이다.

인간의 감정은 생각의 뿌리이고 행위의 기원이며, 감각적 세계 그 이상의 풍경을 점화하는 마음의 불꽃이다. 세계 너머의 풍경을 의미화 하고자 하는 인간의 감정은 뇌의 물리적 화학적 성질에 종속된 것이 아닌 것이다. 때문에 자신의 감정을 누르고 자신의 감정을 교살하는 것은 살아 숨 쉬고 있으면서도 호흡이 없는 창백한 시체의 표정과 다름이 없다.

감정이 없는 느낌, 느낌이 없는 감정이 존재하기나 할까? 인간은 모든 것을 느끼고 자신이 느낀 것을 자신의 감정으로 표출한다. 사랑도, 공포에 대한 두려움도, 관계에 대한 분노도, 신비로운 우주 자연의 경이로움도.

053

감정은 한여름 무더위 속에서도 얼음으로 얼거나, 자기 안에 자물쇠를 채워 자신을 가두는 집행관이 되기도 한다. 그렇기 때문에 감정도 자신을 돌보고 치유할 수 있는 넓은 공간을 가져야 한다. 감정의 공간이 비좁거나 사고가 허약하면 감정도 스스로 스트레스를 받아 병에 걸려 죽을 수 있다.

054

첫사랑.

낭만적 환상이 팽창되는 생체적 본능으로서 이성과의 연애감정. 솟구치는 에로스의 원초적 에너지가 몸 안에서 몸 밖의 행위로 분출하는 기쁨과 환희의 입체 파노라마. 사랑을 몰라서, 사랑을 알고 싶고 온몸으로 체험하고 싶어서 최초의 사랑에 빠진 에로틱한 감정.

첫사랑은 잊힌 듯 세월이 지나도 잊혀지지 않는, 세월의 가슴에 잔잔하게 고여 있어 먼 바람의 추억과 함께 가끔 다녀가는 아련한 기억의 샘.

055

직관.

직관은 현상의 질서와는 상관없이 발생하는 것으로 외적 느낌만으로는 직관의 활동성을 이끌어내지 못한다.

직관은 내면이 들려주는 영혼의 감각이다.

직관은 사고와 감정을 느끼지 않는 상태에서 우리에게 찾아오는 내면의 일급지성이다. 투명한 직관은 뜻밖의 발상, 명확한 판단, 선구적 감각의 예지에서 현상의 껍질을 깨고 잠재된 깊은 곳을 뚫고 나와 신속하게 자신을 드러낸다. 직관의 앎은 신의 영역 안으로 들어가는 영적 앎이라고 스피노자는 말했다.

> "직관은 신이 준 선물이며, 이성(理性)은 그것의 충실한 하인이다."
>
> — 알베르트 아인슈타인

056

그릇.

내 모습 그대로의 나를 담아놓은 것이 나의 그릇이고, 그것이 곧 '참'의 그릇이다.

사람은 저마다 자기의 그릇이 있다. 그 그릇은 세상에 태어날 때부터 자신이 빚어 가지고 오는 그릇인데 그 그릇에 자신의 생을 담는다. 어떠한 생을 살든 자신이 가지고 온 자신의 그릇만큼만 자신의 생을 담는 것이다. 그런데 예외는 있다. 자신이 가지고 온 자신의 그릇을 자신의 의지로 어떻게 사용하느냐에 따라서 자신의 그릇이 바뀌기도 하는데, 그릇에 담기는 그릇의 내용은 달라지지만, 그 그릇의 모양과 크기는 변하지 않는다. 밑바닥에서 정상으로 오른 것도, 꼭대기에서 밑바닥으로 추락한 것도, 또는 평범하게 한 생을 보내는 삶도(누구나에게 평범한 삶은 없다) 애초에 이 세상으로 자신이 가지고 온 자기 그릇인 것이다.

내가 세상에 가지고 온 나의 그릇.

나는 내가 가지고 온 내 그릇 안에 무엇을 담았나? 무엇을 담았기에 무엇이 비어있나? 내 그릇은 분명히 나를 담았는데, 내 그릇의 내용물을 눈을 활짝 뜨고 살펴봐도 그릇 속 나는 보이지 않는다.

내가 가지고 온 나의 그릇. 그 그릇은 내가 나를 빚어낸 그릇.

지금 있는 이대로의 내 모습이다.

057

무능.

나는 무능을 얻기 위해(원래부터 무능했지만 무능을 완전히 장악하기 위해), 그 무능함의 원리와 속성에 대해서 많은 세월을 투자해 연구했다. 거의 평생을 바치다시피 해 무능을 찾아다니면서 무능과 만나 무능과 인터뷰했고, 또 내가 가지고 있는 여러 가지로 탁월하다 싶은 내 존재의 무능과 애틋하게 서로 교류하면서, 서로의 동질성을 거듭 확인하면서, 피라미드를 쌓듯 무능의 실전을 층층 쌓았다.

그렇게 무능이라는 모호한 정체를 밝혀내기 위해 보낸 많은 세월을 모아모아 어느 날 한곳에 쌓아 보니, 오호라, 그것이 산하나 크기의 몸집으로 엄청난 가치가 되어있었다! 돌이켜 내가 걸어온 행적들을 돌아보니, 거의 평생의 시간을 투자해서 무능이라는 거대한 산 한 개를 점령한 것이다! 큰 산 하나가 산 정상에 내 무능을 쌓아놓고 제단을 만들어 놓은 것이다! 산 정상 가장 높은 곳에다가 당당하고 멋진 내 형상을 앉혀놓고 말이다!

그리하여 그 산 정상에서 나는 나의 무능을 다스리는 진정한 왕으로 거듭났다. 이건 내 무능의 진수가 나의 본모습을 명확하게 확인시켜준 것이 아닌가! 내 무능의 본질이 나를 드러낸 내 유능의 진정한 승리가 아닌가 말이다! 이 업적은 내 무능의 유능함이 이루어낸 장대한 행진의 승리이고, 내 인생을 우아하게 빛낸 단 하나의 작품이고, 품격으로서의 명품이다. 무능의 정체를 발가벗겨 산 하나를 소유한 나의 유능이 누구도 흉내 낼 수 없는 명작중의 명작인 '무능이라는 명작' 을 탄생시킨 것이다! 나는 완전한 나로 내 무능의 승리를 두 팔을 크게 들어 환호했고, 나의 진정한 무능함의 선물을 기쁨의 눈물로 껴안았고, 무능이 가지고 있는 무능의 원리를 완전히 이해했다. 나는 무능의 주인이 됐고, 무능의 유능함을 장악한 무능함의 지휘자가 됐다. 무능을 위한 무능의 무대가 장대하다! 그리하여 나의 무능은 선연한 빛을 뿜는 황금빛이다! 나를 위한 나의 무대에서 내 무능을 위한 오케스트라의 팡파르를 울리자! 나를 푸르게 하는 내 무능의 푸른 무덤이여! 내 무능의 기쁨이여! 무능— 만만세!

058

인생은 짧은 감탄과 긴 의혹의 중간에 서서 서성이는 그림자이다.

059

꿈같은 인생, 잠에서 깨어나니 흰 머리카락 날리는 백발이 되었네.
생의 시간은 짧은 잠에서 깨어난 백발의 허무라고, 내 머리 위에 흰 서리꽃이 지금의 나라고, 생이 이렇게 허무한 것인 줄은 몰랐다고 여자는 말한다. 아무것도 몰라서 그냥 좋았던, 그것이 생이라고 사심을 몽땅 날려 견뎠던 그 세월 다 지나가고 남은 건 지금의 내 모습이라고.

꽃잎 피웠던 아름다운 계절은 가고 휑한 바람만이 드나드는 쇠락한 길목의 처마인 양, 푸른 계절은 어느새 푸른 언덕을 넘고

저 강 숲 한적한 기슭으로 노를 저어 가고 있다. 가지의 잎을 하나씩 털어내고 노을 자화상으로 담긴 여자 나이, 붉게 둥글었던 세월 시리게 붉다.

울지마라 여자야. 생은 허무하다고 허무한 것이 생이라고 허무를 알았으니, 그 인생의 둥근 여백을 알았으니 무엇이 허무할 것이냐. 울지마라 여자야. 가을 단풍 붉어서 아름다운데, 곱게 물든 단풍 꽃보다 아름다운데 세월의 눈가는 왜 붉나? 저기 단풍 붉어 그대 눈물도 눈부신 가을인데, 울지마라 여자야, 그대의 생이 허전하고 외로웠다면 세상의 무엇인들 외롭고 쓸쓸하지 않을 수 있었겠나? 한 번의 기쁨, 아홉 번의 눈물을 축제처럼 즐기는 것이 본시 우리 생인데 말이다. 독한 외로움도 질긴 허전함도 캄캄한 허무도 다 즐겨야 하는 것이 우리 생의 프로그램인데 말이다. 생은 아픔을 익혀 세월이 둥글었고, 아이였던 우리는 순수로 세상을 배웠고, 아이를 떠난 우리는 생의 순례 길에서 인생을 배웠던 것인데. 그것이 생이고 삶의 푸르름인데.

060

"지금 알고 있는 걸 그때도 알았더라면" '킴벌리 커버거'의 시다.

인간은 미래를 알 수 없고 지금 현재도 제대로 파악할 수 없다. 깨달음은 사건이 지나간 뒤에 온다 했듯이, 우리가 말할 수 있는 것은 '지금 알고 있는 것을 그때도 알았더라면' 하고 지나간 일을 후회하는 것뿐이다. 그러나 지나간 일을 아쉬워하고 애착한들 무엇 하랴? 사건은 이미 종료됐고, 그 사건은 두 번 다시 내 앞에 나타나지 않는다는 것을. 하지만 조금도 서운해할 것은 없다. 생은 불확실성으로 명료한 확실성의 이면이므로, 사건의 형상은 언제나 우리 앞에 자신의 모습을 드러내는 법이니까 말이다. 우리가 살아내는 생은 변덕스러운 사건의 연속이고, 우리가 모르는 것을 알게 하기 위해서, 우리가 알아야 할 것들을 알아야 할 때까지, 우리에게 일어날 일들은 언제든지 우리에게 다시 찾아올 것이니 말이다. 그렇기 때문에 내게 일어날 사건이 어떤 형태를 띠고 내게로 오든, 내게 온 일들은 사랑을 안듯 알몸으로 덥석 안고 받아야 한다. 우리가 원하든 원치 않던 우리에게서 일어나는 그 일들은 만화경 속 주인공으로 선택된 우리의 생을 가만히 내버려 두지 않고 닦달하고 콩 볶듯 볶아댈 것이니까 말이다.

인간은 현재와 미래를 알지 못하고 지나간 과거의 망각 속에서만이 망각으로 기억되는 현재를 느낄 뿐이다. 그러하기에 지나간 일을 깨닫고 그 깨달음으로 지금의 나를 바꿔가는 것이 우리 인간의 삶이다. 그런데 그 후회라는 자기인식이 항상 깨달음으로 나아가 행동으로 실천 되어지는 것은 아니다. 왜냐면 인간은 끊임없이 망각을 즐기고 망각의 쾌락에 빠져 허우적대는 망각의 삶을 살기 때문이다. 망각은 인간의 뇌가 즐기는 즐거운 놀이이고, 물리적인 현상에 물리적으로 적응하고자 하는 뇌의 일상적 사고이기 때문이다. 백번의 말, 만 가지 생각보다 한 가지 깨달음의 실천. 나는 지나간 일을 후회하며 나를 다져 잡기를 얼마나 반복했던가. 그럼에도, 그렇게 반복으로 점철된 후회에도 불구하고 후회가 없는 삶은 또 얼마나 시시하고 밍밍할 것인가? 그러므로 내게 검증된 진실이 이렇게 진실을 말해준다.

"후회가 없는 삶은 어디에도 없다!"

061

상상력.

"행복한 사람은 결코 상상하지 않고 불행한 사람들만이 상상을 한다." 이 말은 이해의 상상이 결핍된 프로이트의 말이다.

융은 이렇게 말했다.

"인간에게 가장 가치 있는 것은 상상이다."

상상력은 우리의 뇌에서 뇌신경세포에 의한 화학작용이 일으키는 분비물의 물감으로 나타나는 판타지의 스크린일까? 사물의 표면에서 보여 지는 이미지로서의 현상일까? 아니면 인간 본성에 애초부터 저장돼있는 근사한 매뉴얼의 하나일까?

상상력은 내면의 지성이 깨어있는 의식을 통해 세계의 사물을 바라보는 내적 기능이다. 그러므로 우리에게 원형의 감각으로 주어진 상상력을 믿지 않는다는 것은 진정한 자신을 믿지 않는 것과 다름이 없다.

상상은 현상을 넘어 세계로의 여행을 동반하는 것이고, 드러나지 않는 세계의 표정을 찾아 지금의 나에게서 부재하는 나이고, 낯익은 사고로 관습 된 현상의 이미지로부터 나를 해방시키는 것이며, 새로운 세계로의 그곳으로 존재를 비상시키는 것이다.

상상력은 우리의 내적 자아가 활성화되어 외부세계로의 확장으로 분출되는 에너지의 운동이다. 상상력은 내면의 깨어있는 의식을 통해 드러나는 창의력의 본실이자, 잠재적 예술성이 축적되어 드러나는 내면의 보물창고인 것이다. 투명한 직관을 통한 상상력으로 내적 감각이 분화되면 수신되는 모든 정보를 체계화하는 창의적인 능력이 주어진다. 고답적인 사회의 통념과 집단의 요구에 따라 내면의 상상력을 억누르거나 억제하지 말 것. 만물의 만화경을 탐닉하는 자유로운 상상력은 인간이 누려야 할 풍요로운 일급 재산임을 기억할 것. 깨어있는 의식으로 우리의 내면을 활성화시키는 상상력은 진실의 심오함으로 가는 통로이자 그 통로로 들어가는 첫 입구이다.

062

초월적 상상력.

"일본산 찻잔 세트의 잔 하나가 깨졌을 때, 나는 그 원인이 하녀의 부주의한 손길이 아니라 도자기에 그려진 그림 속에 살고 있는 인물들의 고뇌라고 상상했다. 그들의 은밀한 자살 결단은 내게 그다지 놀랍지 않다. 우리가 권총을 자살에 이용하듯 그들은 하녀를 이용했다. 이 사실을 안다는 것은(나처럼 정확히 안다는 것은) 현대과학을 초월하는 것이다."

페루난두 페소아의 산문 <불안의 서書>에 들어있는 짧은 문장이다. 이 문장을 읽었을 때 상상력의 아찔한 환희와 까마득한 절벽의 고도를 동시에 느꼈다.

063

몽상.

몽상이 사유하는 몽상의 시간 속에는 관습의 인식으로 가둬놓은 사물들의 시간을 시간의 밖으로 인도하는 미학적 요소가 들어있다.

몽상은 내면의 불꽃을 밝히기 위해 호흡하는 사유의 방식이며, 몽상의 사유는 항상 깨어있어 깨어있는 잠에 빠져버린 관습을 낯선 영역의 공간으로 불러내는 내적 정신운동이다. 몽상은 의식을 잊고 잠자는 것이 아니고, 존재의 확장으로 더 넓은 세계로의 비상을 꿈꾸는 비행의 날개이다. 깨어있는 몽상은 명징하게 사물을 느끼는 의식의 내면 현상으로, 우리 앞에 드러난 사물의 풍경과 잠재의식 속에 내재된 내면의 풍경을 이어주는 다리이다. 또한 몽상은 현실의 표면이 드러낸 현상과는 다른 풍경을 만나게 해주는 연금술의 정신작용이고, 무덤덤한 현실을 사는 것보다 꿈꾸며 사는 것이 더 실용적이라는 사고에서 미래지향적인 사유로의 전환이다. 그러므로 깨어있는 몽상은 독특하고 불가해한 방식으로 향유되는 내적 놀이이며, 몽상에 드는 것은 행위나 용어로는 만질 수 없는 그 너머를 꿈꾸는 일이고, 몽상에 들었을 때 우리는 순간의 진실을 보기도 한다. 몽상으로의 꿈꾸기는 자신의 내면세계와 외면세계가 만나는 정신의식의 집합 활동이다.

"항상 깨어있다는 것은 깨어있는 잠에 빠져든 상태다."

064

인생.

인생은 모순을 즐기는 모순 속에서만 스토리가 이어지는 한 편의 드라마이고, 모순 속에서 모순을 찾아야 하는 역설에 대한 모순탐구가 인생이다.

065

"삶이 그대를 속일지라도 슬퍼하거나 노하지 말라." 푸슈킨의 시 '삶'의 첫 구절이다.

푸슈킨의 이 시 구절은 세기를 이어 내려오면서 사람들에게 읽히고 있는데, 푸슈킨의 "삶이 그대를 속일지라도 슬퍼하거나 노하지 말라"라는 '삶'의 시 구절은 삶의 본질을 인식하지 못하고 사용한 모순어법이다. 왜냐하면, 모순 속에서 삶을 찾고자 모순에 길들여져 있는 관습으로의 무의식이 우리의 의식에 착각을 일으켰기 때문이다. 그런고로 착각은 모순의 미덕이라며 착각에 빠져있는 우리에게 삶이 이렇게 말한다.

"내가 너희를 속이는 것이 아니고, 너희가 나를 속이는 것"이라고 말이다.

사람들은 푸슈킨의 '삶'의 시를 세기와 세기를 걸쳐 착詩 적 착각으로 읽고 감상한 것이다. 시의 언어가 언어에 구속받지 않는 자유 지향의 언어이지만, 그럼에도 불구하고 삶이 우리를 속인다는 것은 전혀 이치에 맞지 않는 말이기 때문이다. 왜냐하면, 삶은 자신의 자리에서 무형으로 그냥 있을 뿐이고, 그냥 삶이라는 단어에 지나지 않을 뿐이며, 우리의 행위에 관여하지 않는 아무런 형상조차도 존재하지 않는 무형상무기체이기 때문이다. 그러니 삶을 왜곡하지 말고 있는 그대로 표현하고자 한다면 이렇게 써야 한다. "삶이 우리를 속이는 것이 아니고 우리가 삶을 속이는 것이다."라고 말이다. 푸슈킨의 '삶'의 시 첫 구절은 이렇게 바꿔야 한다.

"그대가 삶을 속였을지라도 슬퍼하거나 노여워하지 말라!"라고.

우리의 삶 속에는 속고 속이는 불확실성의 관계원리가 이미 주어져 있고, 우리에게 주어진 그 불확실성의 관계를 삶의 의무로 우리 모두 실천하게끔 되어있는 확실성의 원리이니 말이다.

066

커피트럭을 강둑에 세웠다. 여기 춘천의 북한 강변은 초록 물감이 붓질해 놓은 한 폭 자연의 수채화이다. 그러니까 자연의 풍경 속 풍경인 나도 풍경 속 자연이 된다. 자연의 풍경으로 풍경이 된 나, 소소하지만 커다란 기쁨이다.

여자 손님의 짧은 수다는 f음의 알토다. 서울 강남에서 왔다고 자신의 행적을 밝힌 여자는 나를 보고 강남의 여러 카페 바리스타보다 더 멋있다고 새까만 선글라스 창을 내려 짧은 윙크를 던지곤 나를 추켜세운다. 사실인지는 확인 불가능이지만, 어쨌든 기분 UP…….

경기도 이천에서 왔다는 여자 둘은(꽤나 절친인 30대 직장 친구) 나와 30여 분 동안 얘기를 나눴다. 자신들의 우정에 관한 얘기, 직장 얘기, 서로의 성향에 대한 얘기, 미래 삶에 대한 얘기,

춘천 풍경 찬사, 그리고는 내 이미지가 이곳 풍경과 잘 어울린다는 말과 이렇게 멋진 풍경에서 멋진 분과 커피를 마시면서 많은 대화를 나눠서 정말 즐겁다고 하면서, 사진도 몇 방 찍고 여자 둘은 아쉽다는 말을 풍경의 양쪽 어깨에 올려놓고 발걸음을 돌렸다. 다음에 이곳에서 또 볼 수 있는 행운을 기대한다는 말과 함께.

오, 아름다운 여인들이여! 초록으로 충만한 내 감성 세포에 봄볕 애정을 듬뿍 뿌려준 여인들이여! 오늘 내 기분은 최대치의 상승 플러스UP^^→ 따따블이다. 세상 부러울 것이 없는 하루, 이 얼마나 좋은 하루인가? 봄날 미소로 파랗게 하늘 물든 날, 하늘 풍경을 가득 담은 그대들의 하루도 커다랗게, 파랗게, 저 하늘 크기만큼, 우주 크기만큼, 아주 커다랗게 행복하시라.

067

커피 향.

한잔의 감성을 피워내는 핸드 밀 커피 향. 아침의 애인. 비 내리는 어느 수요일의 연애와 새벽녘 긴 밤의 꿈을 풀어 뿌옇게 염색

된 아련한 공중의 실크와 고적한 밤의 쓸쓸함과 부푼 달빛 창으로 스며 내 안의 파란색 허기와 동행하는.

068

사물을 바라보는 관점이 인식을 만든다. 그 인식의 관점은 자신이 보고 싶은 것, 자신이 믿고자 정해놓은 것을 보기 때문이다. 인식된 그것이 사실인지 아닌지를 고민하지 않고서 말이다. 자신이 원하는 마음의 굴절로 인해 사물의 진짜 표정을 읽으려고 하지 않는 것이다. 그렇기 때문에 인간은 자기 안에서 화들짝 발견되어 자신의 기억에 화석처럼 새겨지는 것 외에는 이해에 닿지 못하고, 자신의 인식에 닿지 않는 그 무엇도 이해하려고 애쓰지 않는다. 그 단단한 뇌의 접착성은 사물을 보는 인식을 오직 자신의 믿음에 대한 관점에서만 확인하고자 하는 응고된 고체의 사고인 때문이다.

우리는 자신이 보는 시각과 관점이 외부의 세계와 일치한다고 가정 아닌 착각을 하는데, 바꿔 말하면 눈앞에 보여 지는 것이 사실인지 아닌지를 생각하지 않고 겉으로 드러나 보여주는 사물들의 겉모습을 잘 받아들이는 것이다. 그리고는 자신이 본 그 사물들의 모습이 '참'이라고 쉽게 판단해버린다. 지금 내가 본 것이 사실이고 전부라는 생각, 자신의 의식이 명징하게 관계의 대상을 관찰했으므로 자신이 보고 있는 사물들의 모양은 자신의 생각 안에서 완전하다는 것, 그렇기 때문에 자신의 의식은 결함이 없는 완벽한 상태라는 것이다. 그 완벽한 상태의 인식이 타자인 대상의 본모습을 '자의적 폭력'으로 제거해버린 의식의 자폐 속에 스스로 빠져있는 것이다.

우리는 타자인 대상에게 자신의 생각을 드러내는 온갖 표정의 몸짓과 말로 대상과의 소통의 주체는 자신이었다고 스스로를 자위하지만, 착각을 관장하고 있는 뇌신경세포가 어린아이의 솜사탕을 부풀려주는 기계처럼, 자신의 뇌세포를 부풀리는 달콤한 환상으로 자신도 모르는 사이에 자신의 뇌를 솜사탕처럼 부풀리고 있는 것이다. 인간은 뇌의 화학작용에 순응하는 화학성 질료로 배양된 화학적 생물인가? 자신도 모르는 의식의 늪에 잠식되어 깊은 잠에서 벗어나기를 거부하는 인식의 노예가 되어버린 것인가? 아니면 무표정한 일상의 관습에 빠져 자신에게서 타인이 되어버린 자신의 무표정을 무표정하게 바라보고 있는 것일까? 어쨌든 인간은 착각의 자폐를 즐기면서 살아야 하는 운명에 처해진 것은 분명한 사실인 것 같다. 세계의 본질은 현실의 세상이 필요로 하지 않는 불필요한 불안 같은 것이므로 굳이 고뇌할 필요가 없다는 생각이 전부이고, 자신 스스로 자신의 뇌를 쇠뇌 시켜 눈앞에 보여 지는 일상의 사고인습에서 벗어나지 못하는 관성에 따라 행위 하는 삶을 이어가고 있을 뿐이다. 인간은 자신도 모르게 착각이 지탱해주는 착각의 힘으로 삶의 권태를 무료하게 즐기고 있다. 깊은 병으로 길들여진 무관심의 심각한 중증증세이다. 인간은 언제나 그런 병적 증상에서 벗어날까? 오리무중 인간인 나도 오늘 서늘한 강철청진기를 가슴을 관통해 가슴에 꽂았다. 내 착각증상의 온도와 발작증세를 일으키는 세균들의 머릿수를 확인해, 내 몸 구석구석 매복해 있는 최강의 용병인 일급 저격 세포군(軍)에게 사살 확인을 명령하기 위해.

069

삶은 비루하고 고상한 고통이자 명료한 혼수상태이고, 명료한 혼수상태인 삶의 불면을 기꺼이 감수하기 위해 불면극의 무대에서 불면의 잠을 연기하는 것이 삶이다.

삶이란 질료에 대한 형이상학적 기억의 착각이고, 의지를 가진 하나의 개체로서 자신의 의지를 자신의 의지대로 행할 수 없는,

어떤 불명확한 욕구에게 지배당하면서 살아가는 것이 인간의 삶이자 삶의 모습이다. 물론, 이렇게 혼란스럽고 단순 명쾌하고 지루하기만 한 삶의 과정 속에서도 약간의 행복과 기쁨이 없는 것은 아니다.

우리는 아주 가끔은 삶의 간이역에서 인생의 전부인 것 같은 달콤한 여행을 하기도 하는데, 이건 조물주가 인간에게 베풀어준 최소의 선물이자 최대의 은총이며, 조물주가 정해놓은 비율의 황금률이다. 그러므로 삶의 행보는 이상한 불안과 약간의 안도와 인정하기 싫은 부조리의 연속적인 항해이며, 나의 의지와는 상관없이 삶이 정해놓은 그 항로를 따라 흘러가는 것이 삶인 것이다.

우리는 삶의 순간순간들을 한순간도 놓치지 않고 자신의 생각을 자신의 것인 양 행동하고 있지만, 자신의 인식이 행한 행위의 아이러니를 알아내지 못하는 수수께끼인 삶을 살수밖에 없다. 왜 그런가 하면 우리는 삶의 행방을 알 수가 없고, 삶이 흘러가는 길을 우리의 의지로 가늠할 수도 없으며, 삶이 무어냐고 삶에게 삶을 물어본들 삶은 대답을 해주지 않기 때문이다. '삶은 무엇인가' 에 대한 답이 애초부터 없었는데도, 없었던 걸 이미 알고 있었는데도, 인간은 삶에 대한 물음을 망각처럼 끈질기게 물고 늘어진다. 그리하여 삶이란 생명이 주어졌기에, 내 의지와는 상관이 없이 생명이 세상에 던져졌기에 살아간다는 타의적인 말로 위로의 상자 속에 자신을 넣어놓고 스스로를 그 상자 속에 가두기도 할 텐데, 그런 무책임하고 자신의 존재를 비하하는 말은 영혼이 혐오하는 말이기도 하거니와, 존재의 자존감에 수치심을 불러일으키는 말이기도 하다. 하여 오늘 내 의지와는 상관없이 쓸데없는 하루가 갔다. 삶의 의미가 실종되어 의미의 실종이 찾아지지 않는 삶, 평생 세상에게 구걸하며 살아야 하는 비루한 삶, 이 노예의 삶에서 벗어날 길은 어디에도 없다. 그렇다고 해서 세상과 마지막 인사를 고한들 무엇 하리. 이 세상으로 다시 돌아와 질펀한 세상의 좌판을 깔고 앉아 질펀한 세상에게 고개 숙여 문안을 드려야 할 운명인데 말이다. 이러지도 저러지도 못하는 인간 삶의 처지는 목줄을 매고 제자리에 갇혀 두리번거리는 한 마리 짐승과 별로 다를 바도 없다.

오늘도 우주는 자신의 매뉴얼에 따라 변함없는 순환을 거듭하고, 지구의 마당으론 어제의 해가 시간의 둥근 목걸이를 목에 걸고 어김없는 출근을 했다. 꽁꽁 얼어붙어 냉랭한 지구의 어깨를 데우느라 온몸의 노고를 다 쏟아내며 땀을 뻘뻘 흘린 해가 하루의 노동을 끝내고 집으로 돌아가 버리고 민낯의 밤이 되자, 선명하지 않은 잿빛 속옷을 살짝 껴입은 달이 어둠 속에서 노란 얼굴을 내밀고 어둠을 조금 비춘다. 동그랗게 젖은 달빛 얼굴로 무슨 할 말이라도 들려주려는 듯이 서글픈 빛무리를 부풀리고 있는 달을 보고 있는 내가, 문득 달의 생각을 비추고 있다. 나는 달 속으로 들어가 달의 먼 옛 기억들을 하나씩 펼쳐 들고서는 까마득한 달의 전생과 절구방아를 찧는 토끼 이야기, 사랑을 걸었던 고요한 달밤의 길들과 내가 만들어 놓은 오솔길 모퉁이에 작은 눈물 하나를 그려 넣어놓고 내 생이 엮어놓은 동화의 책장위로 나를 펼쳐 놓았는데, 달은 내 생각의 심연을 불쑥 열고 들어와 동그란 무심으로 동그랗게 부풀린 내 생각을 지우고 비춘다. 나는 숨 쉬는 것을 느꼈다. 숨 쉬고 있는 나는 쓸데없이 지나간 시간의 날들에게 몇 개의 가공된 위로를 부여해 위로의 의미를 확언해 두고 무심한 의미에게 위로의 의미를 던진다. 그래, 쓸데없이 흘러가 버리는 삶도 내가 모르고 있는 어떤 필연의 의미가 있는 것이라고 의미의 세포를 증식시키며 온갖 생각의 색깔을 화투장처럼 늘어놓고 말이다. 의미를 잊은 의미에게 의미의 의미를 부활시켜주는 것이라고, 삶의 고통 속에서도 변함없이 삶이 이어지고 살아가는 것이라고 말이다. 생명을 가진 것들의 행위는 이 모든 것들과의 지난한 교배를 통해서야만 비로소 삶의 미소와 가까워진다고 나를 위로하면서 말이다. 의미가 실종된 의미의 실종을 즐기며 일상의 삶을 서성거리는 오늘이 데면데면한 얼굴에 미소를 띠고 가까이 다가오고 있는 내일이라는 '내일'의 얼굴을 지루하고 명쾌하게 직시하면서.

070

'근시'는 인간이 가진 질병이다.

이 짧은 한 구절 문구는 내가 만들어낸 문구인데 꽤 쓸 만한 문구이다.

이 한 줄 문구는 내가 평생을 걸려 인간을 관찰한 결과의 산물이기도 하고, 내가 '나'라는 인간을 사려 깊게 관찰한 결과 발견한 진실이기도 하다. 그런데 정확하게 말하면 사실 이 문구는 누구나 다 알고 있는 문구이다. 왜 그런가 하면 근시는 일종의 망각인데, 우리는 우리의 몸에 장착된 근시라는 이 질병을 까맣게 잊고 있지만, 애초부터 몸을 선택받았을 때부터 이 질병은 우리에게 주어졌고, 우리 본성은 자신이 선택한 육체 안에 이 질병이 있다는 것을 이미 알고 있었기 때문이다. 그러하기에 인간은 평생 이 근시라는 질병을 안고 생을 살아가야 하는데, 그건 인간이기에 인간만이 누릴 수 있는 최상의 '특혜'이고, 우리 인간에게 주어진 이 특별한 특혜는 평생 우리가 감수해야만 하는 최악의 관습이다. 그러므로 이 근시라는 질병은 드러난 질병 그 자체인 채로, 또는 질병이 아닌(?) 채로 우리 안에 기생 숙주로 감춰져 있어 우리 몸에서 없어지지 않는다. 왜냐하면, 근시라는 이 질병은 조물주가 우리 인간에게 배려한 '인간 모두의 질병'이기 때문이다.

071

생은 원하는 것을 채울 수 없는 결핍의 여정이고, 그 결핍을 조금이나마 위로해주는 것이 체념을 선택한 긍정의 마음이기도 한데, 그 위로의 마음이 아주 가끔은 인생의 한 부분을 달래어 어깨를 다독여주기도 한다. 그래서 일상의 한 부분을 풍요의 채움으로 채워주는 기분 좋은 일들이 가끔은 있기도 한데, 그 하나는 시인이 가는 길을 더듬어 시인의 길을 따라 시인의 시집 속을 걸을 때이다. 시인의 창조적 사유가 담겨있는 시인의 시집을 건네받을 때에는 왠지 모를 탄생의 즐거움과 함께, 그 즐거움이 나의 내면 은밀한 틈을 열고 들어와 내가 거주하고 있는 상상의 숲에 샘물 같은 싱싱한 기쁨으로 내 목젖을 촉촉이 적셔주고, 또 내게 전해지는 그 기쁨의 인연들이 가끔은 무의미해지고 나른해지는 나의 일상에 신선한 에너지를 보충해주는 활력소가 되어 내 몸 곳곳 세포들의 여행을 원활하게 해주고 있기 때문이다.

조성림 시인이 시인의 다섯 번째 시집『붉은 가슴』을 출간했다. 시인의 다섯 번째 시집의 시속에는 시인의 관조적 세상 보기가 담긴 시인 자신의 사유의 창고를 활짝 열어 시의 언어와 공감할 수 있는 기쁨을 주었다. 시 사랑이 끔찍한 시인은 시가 자신의 곁을 지키는 애정의 연인인 듯이, 또는 전투장에서 맞서야할 전투의 대상인 듯이 시와 은밀한 연애를 하면서, 또 용맹한 용병이 전쟁터에서 전투를 치루듯 시를 쓴다. 언젠가 시인은 사랑 시를 쓰고 싶다는 말을 흘리듯 하기도 했었는데, 내 마음 한쪽에 백지로 펼쳐놓아 가득 비어있는 여백의 갈증을 대변해주는 것 같아서 공감을 가졌었다. 그럼에도 모든 시 쓰기가 그러하겠지만 사랑 시는 여간해서 쓰기가 어렵다. 왜냐면 나는 사랑을 모르고, 내 몸의 반쪽으로 내 곁에 있었던 사랑에게도 하나의 장면이 되지 못했으므로 기억으로 남은 시 같은 사랑을 해보지 못했기 때문이다. 그런고로 내가 정말 부러워하는 부러움이 있는데 그 부러움의 대상은 사랑하는 사람을 곁에 둔 사람이다.

세상에서 가장 행복한 사람은 사랑하는 사람이 곁에 있는 사람이다.나는 돈보다도 사랑이 더 좋다고, 사랑이 돈보다 더 있어야할 가치라고 실제적으로 떠벌리고 다니는 인류 중 하나인데, 그렇기 때문에 일어나지도 않을 운명적인 사랑을 만나기를 바라는 것이 내 희망사항 중 첫 번째 일 순위 사항인데, 그 간절한 바람에도 불구하고 그런 지극한 설렘이 내가 원한다고 해서 될 일이 아니라는 것은 나 스스로도 잘 알고 있다. 그건 나의 바람과는 상관없이 엇박자의 리듬을 즐기며 스텝을 밟는 에로스 여신들의 에로 무대에로 선택받아야 될 일이겠고, 어쨌든, 사랑이 없어 보이지 않는 사랑도 사랑을 쓰게 하는 아름다운 몽환의 약속이기도 할 터이니까, 그 허한 약속을 지키기 위해서라도 내 시의 문장을 위로해줄 사랑 시 한 편을 쓸 마음은 굳세게 먹고 있다. 사랑이 없으면 시가 곤궁해지고, 시가 없으면 사랑의 풍요도 빈

한해질 것이니 말이다.

072

철학자 에마뉘엘 레비나스는 타자에 대한 조건이 없는 무조건적인 환대를 말했다. 부모가 자식에 대한 무조건적인 지원처럼 타자에게도 무조건적인 환대로 타인을 받아들여야 한다고 했다.

불교의 가르침에는 '자비'가 있다. 자비는 타자에 대한 환대, 자신의 피붙이인 가족의 사랑을 넘어서서 모든 타자에 대한 사랑을 실천하는 것이 타자에 대한 사랑이고, 불교가 말하는 자비의 인류애라는 것이다.

조건이 없는 무조건적인 환대의 자비를 설파한 레비나스의 철학 윤리는 "생명은 죽이지 말라이다." 나치에게 가족 모두를 잃은 유태인 레비나스는 독일의 유태인 학살을 용서하자고 말하면서 타자에 대한 조건이 없는 사랑의 환대를 얘기했는데, 1980년에 팔레스타인을 향한 이스라엘의 무자비한 미사일 공격에 대해 레비나스는 이렇게 말하면서 타자에 대한 자신의 '환대'를 '이해'했다.

"팔레스타인은 '타자' 가 아닌 '적' 이다!"
이에 응답한 서구의 한 방송뉴스 진행자의 뉴스 '시 낭독'

팔레스타인에서 쏘아올린
로켓 포탄이
이스라엘 영토에
'비' 처럼 떨어지고 있습니다.

073

엄마 집에서 삼 년째 산다. 집이라서 집인가 하지 토굴이라고 해야 할 정도로 허름한 집이다. 엄마는 이 집에서 십 오년 정도를 사시다가 하늘로 가셨다.

아내를 먼저 떠나보내고 삶의 무게를 누르는 상실의 시간들이 마치 금시 지나간 어제만 같아서, 그 시간들과의 한 몸인 기억들을 더듬으며 삶의 무상함과 진지함을 영혼의 감각으로 헤아리면서 헐거워진 심장의 빗장을 열어놓고 실존과 허무의 날들을 가늠하고 있었는데, 어느 날 엄마가 덜컥 뇌졸중으로 쓰러지셨다. 갑

자기 닥친 일이기에 몹시 당황스러웠다. (갑자기 닥친 일은 아니다. 엄마의 생은 팔십 중반을 넘어서 있었고, 정신적인 외로움과 홀로 살아온 노년의 육체적 한계가 있었다). 병원 입원과 동시에 앞으로 누군가가 옆에서 엄마를 보살펴야 하는 상황이 발생했는데, 그게 나였다.

엄마의 자식은 여덟이었지만 각자의 삶에 충실해야 할 이유가 어찌하든 엄마를 모실 자식들은 없었고, 나는 혼자였으므로 내가 엄마와 함께해야 했고, 또 엄마와 함께할 기회가 내게 주어졌으므로 마땅히 내가 해야 할 일이라는 것을 나는 알고 있었다. 나는 살고 있던 조그만 집을 처분하고 엄마 집으로 들어와 엄마 곁에서 2년 동안을 아무 일도 하지 않고 엄마와 함께 있었다. 그 2년 동안에 엄마는 입원과 퇴원을 반복하면서 육신의 기력이 한계에 닿아 결국에는 요양원 입소 판정을 받아 요양원으로 가시게 되었다. 집을 떠나 요양원으로 가는 길이 멀고 낯선 곳으로 유배를 떠나는 심정이었던 엄마를 생각하면, 마음이 심란하고 심란한 마음이 마음 한쪽에 바람구멍을 내기도 했지만, 항상 곁에서 살펴야 하는 엄마를 혼자서 모시기에는 어려운 일이었다. 당시에는 집을 처분한 돈도 바닥을 드러냈으므로 경제적으로 생활하기가 어려운 상태였고 생활비를 마련하기 위해 밖으로 나가야만 했었다.

엄마의 몸은 엄마가 원하는 대로 육신이 움직여주진 않았지만, 정신적으로는 별문제가 없었던 엄마는 요양원 생활을 불편해하고 집을 그리워하셨지만, 엄마 자신도 모든 상황을 이해했기에 요양원 생활에 익숙해지려고 당신 스스로 노력을 하셨다. 하지만 집을 떠난 외로움을 견뎌내기가 힘드셨던 것은 사실이었고, 더욱이 종일토록 누워 천장만 바라봐야 하는 무의한 삶의 단절로 인한 정신적인 상실감과 육체적인 무력감으로 피폐해진 엄마의 몸과 마음은 빠르게 소멸되어 갔다.

요양원 생활 10개월이 되는 어느 날 엄마의 상태가 심상치 않았다. 엄마의 숨소리가 예전과는 같지 않았다. 엄마는 한마디 말도 못 하고 눈을 감은 채 숨소리만 가빠졌다. 요양원 원장님은 아무래도 마음의 준비를 해야 할 것 같다고 말했다.

다음날, 이틀 동안 가쁜 숨을 몰아쉬던 엄마는 마침내 한 가닥 숨을 세상을 향해 마지막으로 길게 내 쉬고는 숨을 그쳤다. 떠나기 전 그 이틀 동안 엄마의 얼굴 표정은 세상의 표정이 아닌 세상 밖의 표정으로 해탈해 있었고, 이제 곧 그쳐야 할 숨을 고르며 삶의 마지막 길을 건너가고 있었다. 생명의 가장 희미한 진동을 느꼈을 엄마의 영혼은 몸의 죽음을 맞이하기까지의 과정을 담담하게 지켜보며 그 죽음을 받아들이고 있었을 것이다.

10개월 동안의 요양원 생활로 인해 엄마의 몸은 찬바람 속 겨울 나뭇가지처럼 생기가 없었지만, 그런 와중에서도 식사도 조금씩 하시면서 돌아가시기 며칠 전까지만 해도 이렇게 돌아가시리라고 생각지도 않았던 엄마가 갑작스럽다 싶게 돌아가신 것이다. 당신이 그걸 원했던 것일까? 아니면 이제 그만 삶의 고통에서 벗어나도 된다는 하늘의 부름이었을까?

나는 삶을 모르지만 죽음은 안다! 알기 때문에 안다! 삶은 불확실로 감추어진 모호한 현실의 현상이지만, 죽음은 확실하고 명확하게 자신을 드러내는 실체의 실제모습이기 때문이다.

아버지의 죽음, 아내의 죽음, 엄마의 죽음까지 세 죽음을 차례대로 지켜보았다. 죽음을, 죽음의 순간을, 죽음 이후를, 죽음 이후의 그 주검을 생생하게 지켜본다는 것은 지금 눈앞에 펼쳐진 죽음의 실체를 현실의 눈으로 보고 현실적 감정으로만 느끼는 것과는 다른 일이다.

죽음도 아프고 삶도 아프다. 죽음을 지켜보는 것은, 죽음을 두 눈으로 생생하게 지켜보아야하는 건 육신의 허무이고 영혼의 아픈 고통이다. 나는 내게 말한다! 가슴속에서 용암처럼 분출하는 울음을 참아내고 솟구치는 아픔을 내 가벼운 심장으로 누른다. 진실은 고통 속에서 태어나 심장을 찢고 붉은 피를 흘렸다. 진실은 바깥 어디에도 없다! 진실은 죽음의 눈을 통해서만 진실을 볼 수 있고, 이것만이 진실이다! 누구에게나 평등하게 열려있는 죽음은 모든 누구에게서 이든 타인이 아닐 테니까! 누구나 죽음의 고통을 축복으로 받아들여야 하고, 삶은 또 다른 축복의 아픔이니까! 이것이 진실이니까!

한평생 수고스러운 짐을 지셨던 엄마의 삶은 삶의 모든 짐을 내려놓고 삶을 떠남으로써 평안한 보상을 받으셨다. 글쓰기를 좋아했고 여행을 좋아했던 엄마는 다음 생에서는 여행 작가의 삶을 살고 싶다고 평소에 말하곤 하셨다. 다음 생에서 엄마는 엄마가 원하는 작가의 삶을 사실 것이다. 여행도 맘껏 하시면서.

히말라야 높은 산맥은
큰 삶의 희망과
봉우리이다.
인간에게 큰 선물이다.
히말라야 큰 산은
겸손하라고 가르친다.
겸손하라고
신은 인간에게
히말라야를 주신 거다.

— 엄마의 시, 「히말라야」

074

위로가 있는 깊은 밤.
엄마, 보고 싶다는 말은 차마 말을 못 하겠어요. 아파서, 그리움이 아파서 차마 말을 할 수가 없어요. 엄마 살아생전 발만 떼면 한발 거리인 엄마 곁을 나는 자주 잊었어요.

내 미소의 바깥은 사막의 모래알로 건조했고, 내 눈물은 검은 밤으로 스미는 비애의 물결로 검게 젖었다. 내 눈물은 내 안의 눈물로 운다.

075

인간은 태어날 때부터 선한가? 아니면 태어날 때부터 악한가? 이중의 인간성을 탐닉하는 인간의 본질은 창조의 본성인가? 아니면 그 무엇의 필요에 의한 생체적 실험 대상인가? 아니면 우주에너지자원에 귀속된 생체에너지원인가?

인간은 호모 네칸스homonecahs(독일 고전학자 발터 부르케르트(walter burkert)는 '호모 네칸스'를 살해인간이라고 정의했다)인가?

인간은 피를 갈망하는 혐오스러운 살해의 유전인자를 가지고 세상이라는 세상의 울타리 안으로 던져졌다. 그리고 이 세상의 울타리 안에서 시뻘겋게 날을 세운 날 선 이빨로 자신의 영혼을 갉아먹는 자신의 뱃속 내장을 채우기 위해, 서로 상대 인간을 물어뜯고 찢고 피 흘리고 그 피를 빨고 핥아 대면서 피 맛의 시뻘건 쾌감을 유쾌하게 즐긴다. 잔인하고 참혹한 인간 역사의 드라마이자, 헤어날 수 없는 불구덩이에서 벌어지는 생생한 살육의 축제장이다.

인간은 과학으로 살상 무기를 생산하는 것을 창조적 능력으로 합법화해서 인간을 살생하고, 신의 명찰을 달고 스스로 신이기를 자처한 인간은 자신들과 같은 종(種)의 생명체인 인간을 피로 얼룩진 단두대 위에 올려놓고 십자가에 매단다.

사람은 아픈 존재이다. 때문에 인간의 삶은 출생으로 시작된 생으로부터 주어진 고통과 불행만으로도 충분히 차고 넘친다. 하여, 인간 삶의 생존현장은 찢어진 바람의 아우성으로 펄럭이는 돛 하나를 펴고 항해하는 만조의 바다이다. 생이 그러함에도 살해의 참혹한 속성을 버리지 못하고 불행과 죽음을 스스로 자처하며 살생의 쾌락에 빠져 있는 인간은, 영혼이 원하는 영혼의 사랑에 귀 기울이지 않는 한 두 눈을 뜨고 잠들어버린 깊은 잠의 수렁에서 벗어날 수 없다. 이렇게 지구의 인류가 자신들의 악몽에서 깨어나지 못하고 계속해서 악몽만을 꿈꾸기를 원한다면, 인간의 살생과 살육의 행진은 지구가 토막으로 갈라져 두 토막으로 해체될 때까지 인간 살생의 참혹한 드라마가 끝나지 않을 것이다.

그런데 수천 년 동안이나 내 귀에 들리는 신의 말씀은, 이 지구 행성은 신의 사랑으로 충만 된 사랑의 행성이고, 신의 의지로 설계한 '예술적' 설계이며, 인간은 신의 형상으로 만들어진 창조물의 최고 걸작품이고, 신의 본질인 숭고함의 미(美)까지 첨가해 놓은 특수제작품이라고 했다. 그런데 그렇게 심혈을 기울여 만든 작품인 인간이라는 생명체를 이렇게 비천하고 비루한 고깃덩어리로 하락시켜 세상이라는 이 살육장에 잘린 고깃덩이를 내 던지듯 던져버릴 수 있는가? 정말 조물주와 인간의 관계는 아이러니한 형이상학의 무한 장편 드라마이고, 영원히 풀 수 없는 수수께끼의 현기증이다.

076

풍요의 결핍을 채우고자 하는 이 풍요의 시대에는 누구나 시인이 되기도 하고 누구나 작가가 되기도 한다. 시인도 아니고 작가도 아닌 내가 그렇다. 그래서 우리 모두 작가이고 시인이다. 그리하여 창조의 본성을 지니고 있는 우리가 무엇을 본다면, 무엇을 상상하고 그 상상의 내면에서 무언가가 말을 걸어온다면 우리는 그것을 쓴다. 왜냐면 우리는 시인이고 작가이기 때문이다.

시인은 시를 쓰는 사람이다. 시를 쓰므로 시를 쓰는 사람이 시인이다. 몸의 하인이고 의식의 심부름꾼인 손가락이 쓰는 내 시는, 시의 내용을 의미화 할 수도 없는 의미로 채워져 있어 시를 읽고 공유할 수 있는 감정의 느낌이 전혀 들어있지 않은, 시의 현실성을 비껴난 허구의 문장이다. 하여 나는 내게 묻지 않을 수 없다. 나는 왜 시를 쓰는가? 이건 시 쓰기에 대한 나 자신에게 묻는 물음인데, 굳이 이 물음에 답을 하자면 내가 행위 하는 시 쓰기의 진짜 이유는 나는 삶에서 할 말이 없고, 할 말이 없는 삶을 이해할 수 없고, 삶을 이해하지 못하니 삶을 알지 못하고, 그래서 말할 수 없는 삶을 말할 수밖에 없고, 할 말이 없어 말할 수 없는 말의 궁핍을 시의 문장으로 나열해 놓는 것이다. 그런고로 내 시 쓰기의 이유는 내 삶에 대한 무지와 무언의 항변이며, 내 자신의 삶이 무엇인지도 모르는 내 육신과 영혼의 무덤을 달래기 위함이다. 그 모호함의 정체로 단련된 삶의 무료함을 시와의 대화로 즐기는 것도 존재의 이유가 될 것인데, 어쨌든 일상의 지루한 덫에 갇히지 않기 위해서는 무엇인가의 대상을 찾아 즐겨야하는 것이고, 그것이 곧 존재의 행위이고, 행위로 존재하는 것이 존재의 있음을 확인하는 일이기 때문이다. 내가 가장 좋아하고 즐겁게 행위 할 수 있는 즐거운 놀이를 찾아 즐겨야 하는 것이 삶의 의무로 내게 주어진 나의 책무이니까 말이다. 그리하여 나의 의무적인 삶을 의무적으로 수행하기 위해서 나는 내 자신을 쓴다. 나의 현실이 현실을 꿈꾸는 꿈인 듯, 또는 현실을 비껴난 실존의 행위가 존재의 실체를 확인시켜주는 현실인 듯, 뿌연 안개의 행간

속을 더듬는 흐릿한 문장으로 나의 행위를 위로하며 나는 나의 시 쓰기를 무능하고 모호하게 즐기는 것이다.

077

창문을 열고 뜨락을 보니
노란 은행잎이 쌓였네
찬란하고 아름답구나
은행 알 떨어져 구르고 쓸쓸
겨울이 저만치서 오고있네

사랑하는 아들 보아라.
아들아, 그동안 힘들고 어렵고 쓸쓸함도 많았지.
엄마는 요사이 몸도 아프고 외로움이 깊지만
자식들이 있고 너희 두 아들이 옆에 있어서 큰 위안이 되지.
그렇지만 사람의 마음은 그것만이 전부가 아닌가봐.
때로는 너도 엄마도 느끼겠지만

하루 종일 말 한마디 나눌 사람이 옆에 없어
쓸쓸한 마음은 다 같겠지.
그래도 너는 글을 쓰고 엄마는 하나님을 의지하고 살아가니까
삶의 어려움 속에서도 큰 행복이야.
지나온 삶의 모든 것들을 긍정적으로 생각하니
마음이 평온하기도 하구나.
엄마는 너희들에게 엄마의 도리를 못한 것이 평생 미안하단다.
그래도 주어진 환경에서 너희 모두가 꿋꿋하게 잘 지내온 것을
엄마는 두 손을 모아 감사할 뿐이구나.
2013년 올해에도 지금껏 잘 지내온 것처럼 하루하루 살아가면
하나님도 너희에게 축복을 주실 거다.
항상 건강하고 열심히 글을 쓰기를 바란다.
너희를 위해서 엄마가 항상 기도할게.

책장정리를 하다가 책장 한 곳에 꽂혀있던 오래전 엄마의 편지를 다시 읽었다. 엄마의 아픈 마음을 담은 글을 읽는 내 마음이 아리고, 아린마음이 출렁이는 파도를 만들고 휑한 가슴을 쓸었다.

엄마……. 평생을 말도 없이 조용했던 엄마, 그런 엄마는 마음으로 전하고 싶은 말을 종종 시를 적은 편지로 내게 건네셨다. 이젠 내 곁에 없는 엄마, 미소가 없는 엄마, 내게서 사라진 엄마의 시간들이 지금 내 앞에 생생하게 살아 숨을 쉬어 아프다. 무심한 듯 엄마의 아픔을 모른 척 외면했던 생전의 일들이 기억의 화면

으로 넓게 펼쳐져 크게 넓어진 내 눈 속에 아린 눈물을 가득 채웠다. 가슴이 저리다. 평생 힘든 삶을 보냈어도 항상 긍정적인 당신을 원하셨던 엄마. 그때도, 그날들도, 마당에 쌓인 노란 은행잎을 밟으며 행복해 했던 엄마. 지금은 내 책상 앞에서 나를 보고 웃고 있는 엄마의 초상화. 고운 엄마.

매일 보는 하늘, 오늘은 어제와 다른 하늘, 하늘 공중은 출렁이는 붉은 바다가 되어 멀리 멀리로 붉어 백만 개 파도를 밀고 내 가슴으로 밀려왔다.

— 아들아 눈물은 쓰지 말거라!

내 안에서 눈물로 키운 슬픔의 덩어리들이 내 영혼의 울음을 채우고 가슴을 차올랐다. 그리움은 아픈 뿌리로 넓게 붉어 먼 하늘 바다를 붉게 적셨다.

오늘, 이무상 선생님, 조성림 시인, 봉의산 카페지기 노정균, 윤혜옥시인과 즐거운 시간을 함께했다. 밥 먹고 술 마시고 노래했다. (윤혜옥 시인은 술은 못 마시는데, 시인의 낮은 노래는 낮은 음이어서 매력적이다). 내 일상의 삶에 온기를 주는 난로 같은 사람들.

마주하는 것.

그래, 사람은 서로 마주보기 위해 사람으로 태어났다고 했지.

078

"전쟁을 조금 경험할 거야. 나는 그가 돌아오지 않으리라는 예감이 들었다. 나는 지금도 그가 돌아오고 싶지 않았다고 믿는다. 그는 돌아오지 않았다!"

— 맥스 비어봄의 산문 <윌리엄과 메리> 중에서.

윌리엄은 사랑하는 아내 메리에게 가고 싶었다. 윌리엄은 사랑이 전부였다. 사랑만이 전부인 윌리엄은 눈부시게 아름다운 아내 메리와 함께 있고 싶었다. 오직 메리가 있는 그곳에서 메리와 함께 있는 것이 윌리엄의 전부였다. 그리고 죽음을 확신한 전쟁 통신원으로의 지원은 메리를 만나러 가는 가장 확실한 길이었다.

새벽의 셀레네는 둥글게 몸을 공전시켜 격정의 밀물을 내 안의 바닷가로 세차게 밀었다. 나는 울었다! 나는 감정의 슬픈 분화구를 열어젖히고 차오르는 울음의 분수를 밀어 올렸다!

079

인간의 죽음은 실존적 실체이자 형이상학적 신비이다.

죽음이 무언가요? 그녀가 묻는다. 그녀는 죽음에 대해서 물었는데, 죽음을 알려면 죽어봐야 하겠지! 내가 대답했다.

죽음이란 무엇일까?

우리는 수없이 많은 죽음을 경험했지만, 죽음에 대해서 알지 못하고 죽음 이후에 대해서도 알지 못한다. 그건 '망각은 시간의 비밀' 이라는 망각의 강을 건너온 영혼의 건망증이라고도 하는데, 그 망각의 시간은 우리가 알 수 없는 창조의 숨겨진 비밀이고 우주의 신비적 설계이다. 그런데 그 죽음의 경이로움을 영적으로 체험하고 죽음 이후의 삶에 대해서 얘기하는 수많은 사람이 있다. 소수일까? 어쨌든 수십억의 다수보다 당연히 소수이겠지.

우리 모두에게 감춰진 시간이 드러내는 죽음의 비밀은 아주 작은 소수의 사람만이 그 무덤의 비밀을 알고 있다. 왜 그런가 하면 많은 다수가 죽음의 비밀을 안다면 죽음은 더 이상 비밀이 아니기 때문이다. 우리가 알 수 없는 감춰진 세계의 속성들은 다수의 궁금증을 위해 존재하는 것이 아니고, 소수의 발견을 위해 마련된 창조의 배려이기 때문이다. 우리가 궁금해하고 우리 모두 알고자 하는 죽음의 비밀 같은 비밀은 말할 것도 없이 특별한 것이니 말이다.

우리는 죽는다는 것은 알아도 나는 나의 죽음을 알 수도 없고, 지금 내가 죽지 않았으므로 죽음 이후도 알 수가 없다. 그런데 어느 날 정말 내가 죽었다면? 내가 죽어서 내 몸이 내 영혼과 분리되어 육신의 죽음이 내게 왔다면? 육신의 생을 끝낸 영혼이 몸을 떠나 내 몸의 죽음을 지켜보고 있다면?… 그 죽음 이후에는 차원을 넘어선 우리의 의식이 시간의 망각 속에 감춰져 있는 비밀의 문을 활짝 열어 그 비밀의 실체를 보여줄 것이다. 그러하기에 죽음이 무언지는 죽어봐야 알고, 체험된 체험만이 체험의 실체를 알게 한다. 그 생사의 체험은 우주가 순환하면서 우주스스로가 생성과 소멸의 영원을 체험하고자 하는 우주의 의지로 설계 된 전체우주의 체험법칙이고, 불변으로의 법칙인 창조의 율법이다.

080

세상에서 가장 강력한 힘은 사랑이다. 그 다음으로 우리의 삶을 지배하는 건 죽음에 대한 두려움이다.

우리는 죽음을 생(육체)의 마지막으로 생각하므로, 죽음을 정복해야하는 그 무엇으로 생각하거나, 되도록이면 오랫동안 미뤄두어야 하는 끔찍한 재앙으로 생각한다. 그러나 죽음을 우리의 의지대로 억누를 수 있거나, 그 누구도 죽음의 과정을 자신이 원하는 대로 바꿀 수가 없는 것이 죽음이다. 삶은 불확실하고 불명확한 것이지만, 죽음은 확실하고 명징한 것이기 때문이다. 그러하기에 삶은 언젠가는 죽음과 조우해야 하는 필연적인 과정으로 매듭지어진 것이 물질계에서의 유한한 우리의 삶이다.

죽음은 죽음 앞에서조차 타인처럼 죽음을 밀어내려 하고, 그 죽음의 발치에서조차도 자신의 죽음을 인정하려들지 않지만, 눈앞에 다가온 죽음이 "나는 너의 것이다!" 하고 손을 내밀면 그 죽음의 손을 잡아야 한다. 사랑하는 연인의 몸처럼 그 죽음을 받아들여야 한다. 왠가 하면 삶과 죽음 사이에는 출생의 애초부터 정해놓은 유통기한이 있는데, 그 누구도 이 유통기한의 날짜를 바꾸거나 삭제할 수 없다. 이 유통기한은 카르마의 인연에 따라 지구에서의 삶을 설계하고 선택했던 자신 영혼과 맺은 계약이자 약속이었으므로, 육체의 죽음은 이생의 삶을 통하여 한 생의 업의 인연이 끝났기에, 더 이상의 생은 무의미하다는 것을 의미하기 때문이다.

인간의 죽음은 물리적 육체의 소멸로 행해지는 삶의 끝이 아니고, 그 죽음을 통과함으로서 새로운 삶을 다시 시작하는 것이다. 삶이 죽음에게, 죽음이 삶에게, 서로의 손바닥에 쥐고 있었던 바통을 한 몸의 손으로 서로에게 건네받고 건네주는 것이다. 생사의 바통을 쥐고 트랙의 끝과 처음을 잇는, 생사의 분절 없이 자신의 꼬리를 이어 물고 불사의 트랙을 완성한 우로보로스의 영원처럼.

유한한 물질로 형성된 유기체로서의 우리의 몸은 생사의 경계를 반복하는 유한의 육체이지만, 근원으로의 우리의 의식은 의식의 근원을 떠나지 않는다. 그러므로 그 근원으로서의 삶이 우리에게 한생의 몸을 선물 했듯이, 우리는 태어나면서부터 죽음을 향한 생의 행보를 시작했던 것이다. 그러하기에 때가 되면 내가 받았던 생의 선물을 죽음에게 다시 돌려주어야 한다. 언제든 죽게 돼있고 반드시 죽어야 하는 죽음을 우리는 당연히 받아들여야 하는 것이다. 그것도 언제 어느 곳에서 어느 시각에 아주 정확하게 말이다. 죽음의 때가 되면 운명의 여신인 아트로포스의 칼날이 생명의 실을 주저 없이 싹둑 잘라낼 것이니 말이다.

육체의 상실은 생존의 두려움이고, 그 두려움의 마지막 장소가 몸의 죽음이다. 하지만 죽음에 대해서 걱정할 이유는 없다. 죽음은 존재하지 않기 때문이고, 육체의 소멸은 새로운 육체의 생성을 위한 '자기소멸'이기 때문이다. 그건 거역할 수 없는 우주 자연의 생멸 순환법칙이고, 그 순환의 과정은 우리의 생이 처음의 시간으로 다시 돌아가기 위한 시원의 시간이며, 삶에서 상처받은 영혼을 치유하는 완벽한 처방이고, 본성으로의 귀환이다. 우리의 본질로 들어서는 초월의식으로의 전환인 죽음은 우리의 본향인 우주의 시간으로 다시 편입되는 태초로의 멋진 과정이며, 존재의 신비를 우리의 본질로 확인하는 일인 것이다. 우리가 살아온 삶의 순간순간들이 의식의 진화로 이어진 창조의 연속이듯이, 죽음 또한 또 다른 창조의 시작인 것이니 말이다. 한 생의 희로애락을 완성하고 육신의 옷을 벗어버린 후, 우리 모두 우주은하를 산책

하는 경이로운 빛의 연금술사가 돼있을 것이다.

081

여행.

그곳에! 숨겨진 세상이 있다.

빛의 은유가

영혼의 시가 되는 곳

먼 여행을 곁에 두고

너의 곁에서

또 하나의 네가 손을 잡을 때

여행은 시작된다.

의식을 넘어

육체로부터 자유로운 곳,

경계의 모서리가 없는

끝없는 빛의 물결,

시간을 벗어난 유랑 끝에

우윳빛 구름의 베일이 걷히면

그곳에
충만한 자아가 계획돼 있는
숨겨진, 빛의 세계가 있다.

082

생체적 인체로 드러낸 물질계에서의 인간 육체는 3차원 현상계에 자신을 드러낸 영혼의 아바타이다.

어쩌면 우리 우주가 지극히 발달한 어느 문명 세계의 수재들이 만든 컴퓨터 시뮬레이션일 뿐이라는 어느 과학자의 말이 있다.
(플라네타리움 planetanium : 별을 관찰하기 위해 천문대 망원경을 사용하지 않고 반구형의 천장에 행성을 투영해서 그 행성들의 움직임을 관측하는 기계장치에 의한 방법. 즉 가상의 무대를 설정하는 것인데, '플라네타리움 가설' 이라고 한다).
우리 우주가 어느 문명세계의 수재들이 만든 컴퓨터 시뮬레이션일 뿐이라는 과학자의 말은, 과학자로서 과학에 의한 상상력을 동원한 말일 것이다. 종교에는 종교가 말하는 절대 계와 상대계가 있다. 상대 계는 절대계가 펼쳐놓은 절대계의 그림자, 즉 상대 계는 절대계가 펼쳐놓은 가상의 현실로 천계의 그림자일 것이다.

그런데 우리 우주를 다른 우주의 지적 문명이 시뮬레이션 했을 것이라는 어느 문명 세계의 수재들이란, 우리와 같은 생체적 생명을 말하는 것이므로 딱 잘라 동의 못 한다. 이유는, 어느 고도의 문명 세계 수재들이라도 우리 우주의 '생체적 문명' 을 '생체적' 으로 시뮬레이션 할 수 있는 능력을 갖출 수는 없을 것이다. 왜냐고 다시 잘라 말한다면, 그건 인간이 할 수 없는 인간 밖의 능력이기 때문이다. 그런데 우주는 또 다른 우주를 다중 복제하므로, 우리가 우리 우주 안에서 하나의 개체로서만 존재하고 있다고 생각을 하지만, 실상은 다중우주 안에서 다차원의 동시성으로 복제된 내가 존재하는 것이다. 그러니까 나는 우리우주에서의 나 하나가 아닌 다중우주 안에서 다중으로 복제된 '다중의 나' 가 되는 것이며, 다수 적 개별자로서 다양한 장소에서 여럿의 내가 존재하는 것이다(우리의 몸은 하나이지만 우리는 우리의 마음을 통해서 또 다른 나를 복제하고 여럿의 나를 복제해낸다. 우리의 자아가 하나가 아니라는 말이 있듯이 내 안에는 다중으로 복제된 여럿의 내가 존재하고 있다).

우리의 몸은 입자이므로 입자는 동시에 여럿의 위치를 가지고 있으므로, 우리는 다중우주 안에서 각기 다른 현실을 동시적으로 살고 있는 것이다. 그렇다면 현실은 무엇이고, 현실은 어디이고, 또 무엇이 현실의 나이며, 나의 지금은 어디인가? 지금 이곳에 있는 내가 진짜 나인가? 우주가 다중이면, 그 다중우주에서 복제된 지금의 나는 복제된 그 다중우주 그곳에서 지금의 내 모습으로 이 글을 쓰고 있을까? 아니면 매력적인 여자로 복제돼 어떤 멋진 남자와 달콤한 사랑을 하고 있을까? 아니면 지금 이곳의 삶과 다름없이 생의 상처를 어루면서 삶을 견뎌내고 있을까? 라고 물어도, 지금의 나는 그 다중우주에서 존재하는 다른 세계에서의 나를 모를 일이다. 아니다, 모를 일도 아니겠다. 다중우주에서 복제된 나는, 복제된 그곳에 존재하고 있는 그 세계에서의 현실이 내 현실의 전부라고 생각할 것이겠지. 지금 이 현실 속의 내가 이 현실에서 존재하고 있는 내 존재의 확신만을 가지고 있는 것처럼.

마이클 뉴턴의 책「영혼들의 운명」에서 이런 얘기가 나온다. 영혼이 하는 얘기인데, "우리들의 인생은 지금 여기에 존재하고 있는 나 하나의 내가 아니고, 또 다른 내가 이 지구에서건 다른 행성에서건 다양한 형태로 다중으로 존재한다고 했다." 우리로서는 상상할 수 없는 얘기지만 영혼은 그렇다고 했고, 자신이 무엇을 하고자 하는 의도에 맞게 자신의 에너지를 나누어 다중의 장소에서 다양한 형태의 모습으로 존재하는 다세계의 동시적 삶을 얘기했다.

지금 과학에서 거론되고 있는 다중우주론은, 우주가 팽창해서 거품 방울 같은 우주를 수없이 만들어낸다면, 우리의 몸과 더불어 이 지구에 존재하는 물질을 형성하는 패턴도 다중우주 안에서 수없이 반복되고 있을지도 모른다는 과학의 관점이다. 입자들의 운동이 너울성의 파동이라면, 파동은 고정된 위치를 가지지 않으므로 입자는 동시에 다양한 장소에 있을 수 있으며, 다중우주 안에서 원자와 분자의 배열이 반복되면서 다중의 존재를 만들어 낼 수 있다는 얘기이다. 이건 과학의 우주론이지만, 서로 사용하는 용어가 다를 뿐이지 우주의 이런 현상을 과학에서만 얘기하는 것이 아니고, 영성에서 얘기하는 우주론도 이와 다르지 않겠다. 그러니까 같은 주제를 놓고 과학은 과학이 쓰는 용어로, 영성은 영성으로 얘기할 수 있는 용어를 사용하는 것이다. 다시 말하면 같은 주제를 놓고 서로 다른 방식의 언어로 표현하는 것이다.

이런 우주 현상은 태초부터의 근원으로 우주 자체에 설정된 우주에너지의 배열이고 순환일 것이다. 그러므로 어느 고도의 문명세계 수재들이 우리 우주를 시뮬레이션했을 뿐이라는 과학자의 말은, 실체의 근원을 밝혀서 증명해내야 하는 과학의 모호한 가설의 한계이자 편견을 끌어안은 과학(자)의 오만일 것이다. (겸손한 과학자는 논리와 이성을 포함하는 과학의 방법과 한계를 정직하게 진단하고 대중들에게 정직하게 전달하려고 한다).

물론 종교적인 용어로도 우주를 설명할 수가 없다. 왜냐면 인간은 태초 우주를 알 수가 없고, 만물의 근원이 어떻게 이루어졌는지도 알 수가 없으므로, 불완전한 인간의 사유는 불완전한 용어를 사용할 수밖에 없을 테니까 말이다. 그렇지만 가상의 무대가 아닌 우주의 진짜무대는 존재할 것이고, 우주의 연금술이 실체의 진실을 비추는 전체우주의 물리 진실은 존재할 것이다. 그게 무얼까? 그 비밀을 감추고 있는 진실의 실체가 우리에게 자신의 실제를 드러내지는 않겠지만.

물리학자 데이비드 봄은, 보이지 않는 '접혀진 질서' 와(숨겨진), '전개된' (드러낸) 질서를 가진 홀로그램 우주를 얘기했다. 그리고 전개된 영역과 숨은 영역을 초월한 '어떤 근원' 을 가정하기도 했다. 이 물질계를 떠나 다른 차원(영계)의 의식으로 얘기하는 영혼은 그 근원으로 느낄 수 있는 '존재자' 를 성스러운 에너지의 파장으로 느낀다고 했는데, 그렇게 느껴지는 존재자를 '거룩한 분' 이라는 표현을 썼다.

083

책,「영혼들의 운명」마지막 장에서 발췌한 어느 영혼의 이야기.

지구로 오는 것은 집을 떠나 멀리 외국으로 오는 것 같습니다. 지구의 어떤 것은 낯이 익지만, 많은 것이 익숙해질 때까지는 좀 이상합니다. 특히 지구의 상태는 용서할 수 없을 것 같습니다. 여기 지구와는 달리 우리들의 진짜 고향은 완벽한 평화에 쌓여 있는 곳입니다. 전적인 수용과 사랑이 있는 곳이지요. 영혼들이 고향을 떠나게 되면, 우리들은 그렇게 아름답던 그 모든 것이 우리들 주위에 있으리라 생각할 수 없습니다. 지구에서의 우리들은 참을 수 없는 것을 다스리는 것을 배워야 하고, 노여움과 슬픔을 다스려야 했습니다. 기쁨과 사랑을 찾으면서 그렇게 하였지요. 그러는 동안 온전함을 잊지 않아야 했습니다. 생존을 위해 착한 마음씨를 희생한다든지, 주위에 있는 사람들에게 잘난 체하거나 비굴해지는 일이 없도록 해야 합니다. 불완전한 사회에서 부딪치면서 살게 되면 진실한 의미의 온전함을 알 수 있게 됩니다. 우리의 영혼이 지구에서의 삶을 마치고 본향인 집으로 다시 여행을 떠날 때까지 우리들은 지구에서 용기와 겸손을 배우게 됩니다. 깨달음이 많아질수록 우리 삶의 질도 나아질 것입니다. 우리는 그렇게 시험당하는 것입니다. 그런 시험에 합격하는 것이 우리들의 운명인 것입니다.

인간은 3차원 물질계로 복제된 가상의 무대에서 생체적 인체를 가지고 체험하는 존재. 이 지구에서 인체를 가지고 삶을 영위하는 생체적 인간 삶은 영혼의 의식진화를 위한 절대의무로서의 체험이다. 때문에 인간은 스스로 체험의 무대를 만드는 존재가 아니고, 이미 만들어진 무대 위에서 체험을 하게끔 무대 위로 올려진 존재이다. (무대가 만들어진 뒤에 연극이 시작된다). 다시 말하면 인간이 우주 자연을 체험하는 것이 아니고, 우주 자연의 섭리가 인간을 체험시키는 것이다. 삶이 우리를 삶 속에서 체험하게 하듯이, 그러니까 나는 이 물질계에서 인체를 가지고 영적 체험을 하는 내가 아니고, 인체를 가진 내가 인간이 된 체험을 하는 영적 존재이다.

084

회의(懷疑)는 삶의 정수(精髓)이다. 회의를 품는다는 것은 자신 삶의 길을 의문으로 되돌아보고, 자신이 걸어온 길의 이정표를 다시 세우는 인식의 문으로 들어섰다는 것이기 때문이다.

회의는 내면에서 들려주는 인식의 소리이다. 우리는 드러난 것과 드러나지 않은 것에 금을 그어 울타리를 쳐놓고 자신의 눈에 드러난 것만을 인지하고, 그 인지된 감각만을 진실이라며 착각하는 삶을 살아가는데, 그건 그런 삶이 인간에게 주어졌기에 인간이 누릴 수 있는 인간의 특권(?)이기도 하다. 그 특권의 특징은 거품으로 부글거리는 우리의 자아가 물위의 거품이 되어 거품으로 떠서 떠다니는 무아지경의 무관심인데, 그 무관심의 거품은 자신이 딛고 있는 물의 표면 아래를 상상하지 않고 들여다볼 생각도 없는, 거품으로 부유하다가 거품으로 꺼져버리는 거품의 무늬이고 거품의 부유이다.

의문의 실체는 보이지 않고 드러나지 않는 곳에 자신의 형상을 숨기고 있는 자신의 정체이다. 그 의식의 정체를 벗어난 의문으로서의 회의는, 자신을 가두어 놓은 어두운 동굴을 빠져 나와 자신의 눈을 밝혀주는 빛의 선물이고, 자신을 옥죄고 있는 우매함으로부터 해방되어 자신 삶의 본질에 자유로움을 선사하는 멋진 과정으로의 행보이다. 의문으로서의 회의에 들어 자신의 내면을 바라보고 그 내면의 얼굴과 마주할 때, 우리는 삶의 어두운 면과 밝은 면의 긍정을 동시화하고, 그 동시성을 하나로 결합시킬 기회를 누리게 된다.

085

여름이 42.195킬로 마라톤 결승점을 통과해 숨을 고르게 쉬는 때가 되면 태동을 끝낸 귀뚜라미 새끼들의 움직임이 시작되는 때이다. 어미 몸속에서 빠져 나와 콩알보다 작거나, 혹은 콩알만한 귀뚜라미 새끼들이 화장실 타일 바닥에서 뛰어놀고 있다. 매년 이맘때마다 화장실 바닥은 새끼 귀뚜라미들의 세상 놀이터가

된다. 조그맣고 귀여운 귀뚜라미 새끼들의 생의 축제마당이다. 가을의 내 식구들이다.

그런데 고렇게나 자그마한 귀뚜라미 새끼들의 생존능력은 매우 탁월해서 매양 내 생각의 한 부분 전부를 감동시키고 있는데, 그 이유는 내가 화장실에 드나들다가 요 작은 것들을 밟을 수도 있다는 내 걱정과는 달리, 그 작은 몸짓의 생명체가 한 번도 내 발바닥 아래에 깔려 압사된 적이 없었기 때문이다.

고 작고 귀여운 귀뚜라미 새끼들은 어떤 물체가 중력의 반동이 밀어내는 힘으로 공중을 향해 튀어 오르듯이, 순간적으로 공중을 뛰어오르는 멋진 점프력과 자신의 존재와는 다른 무언가를 재빨리 감지하는 감각적인 초감각의 능력, 언제 어느 때이고 자신의 생존을 억압할 조짐이 있거나, 자신의 생존에 대해서 타격을 줄 수 있는 것들에 대해서는 탁월한 본능적인 감각과 점프력을 발동해서, 자신에게 해를 입힐 수 있는 대상으로부터 순간이동으로 벗어나 자신의 생존을 안전하게 지키고 있는 것이다. 나는 화장실 변기에 앉아 고 작고 신기한 생명체를 보고 있을 때마다 새끼 귀뚜라미들의 탁월한 생존능력에 대해 매번 감탄을 하면서, 요렇게나 작은 생명체의 생존능력과 나의 생존능력을 나란히 놓고 가늠해 보기도 하는데, 귀뚜라미 새끼들의 탁월한 생존에 비해 나에게도 나의 생존을 책임질 수 있는 감각의 능력이 내게 있는 것인가를 골몰히 생각해봤다. 그런데 내 생각의 감각을 이루고 있는 뇌의 모든 세포를 집합시켜 생각을 해보고 생각을 뒤집어보고 헤집어 봐도, 나의 생존에 대한 내 능력은 새끼 귀뚜라미들의 능력과는 무관한 무능력인데, 그 무능력은 아마도 내가 가지고 있는 나만의 능력일 거라는 생각의 마침표를 찍고, 나의 무능력의 능력을 암묵적으로 긍정하면서 스스로의 위로에 이를 때쯤에서야 내 생존의 능력에 대해서 몰입 당했던 생각을 멈추게 된다. 그런데 나 스스로도 알 수 없는 생존능력의 무능력은 내 성정이 원하는 현실을 살았던 내가 나에게 주입시킨 관성의 법칙이 작용한 걸까? 아니면 최면의 상태로 나를 쇠뇌 시켜 뇌의 활성화를 비활성의 운동으로 변환시킨 지난한 훈련의 응집된 결과였을까? 혹은 현실의 공간 한쪽이 무형의 공간으로 남기를 원했던, 현실의 한쪽 무대를 판타지 한 환상의 영역으로 채워 영혼의 위로를 받고자 했던 내 무능력의 현실적 능력이었을까? 그도 아니면 생의 프로그램을 담당하고 있는 운명의 고마운 배려일까? 이 모든 것이 물음이고 내게 던지는 알 수 없는 질문인데, 어쨌든 지금까지 나의 생존을 나 스스로가 지키고 있다는 건, 이 지구라는 세상의 귀 퉁 구석에서 별일 없이 지금도 나의 생존이 무탈한 건 기적중의 기적이고, 기적이 따로 없는 슬픈 기적이라고 해야 되겠다. 내 현실의 삶이 비현실의 현실과 함께 어울려 오래 친근한 미소로 내 웃음의 위로와 지금 조우하듯이.

086

원함을 최소로 축소해서 몸을 가볍게 하기.

내 안에 무엇이 채워지지 않는 것은 결핍된 충족으로의 불안이 아니고, 주어진 결핍을 인정하는 있는 그대로의 안녕이다.

내 마음의 저울에서 물질의 무게를 저울질하는 저울의 추를 내려놓기. 저울의 눈금을 눈 밖으로 추방시키고 마음의 숫자를 산술에서 지우기. 지금 내게 주어진 내 실존의 풍요를 내 몸처럼 긍정하고 그것과 하나 됨에 만족을 누리기. 내게 주어진 결핍의 풍요를 내 몸처럼 받아들여 내 몸과 하나 되기.

부족함이 건네주는 만족에게 두 손을 모으고 감사하기. 그 부족함이 주는 만족의 풍요로 기쁨의 만세를 높이고, 그 경외의 마음으로 지금 내 앞에 있는 삶을 세심하고 무심하게 들여다보기. 한쪽 눈을 감고, 두 눈의 동공을 활짝 열어놓고, 저기 먼 별빛들의 눈빛들과 눈 맞추면서.

087

자연이 인간에게.

자연은 인간의 고상함을 원하지 않고, 가면의 얼굴인 인간의 가짜 진지함에 속아 넘어가지도 않는다. 딱 잘라 자연이 인간에게 말하는 걸 내가 들었는데,

인간의 가짜 순수함과 가짜 진실은 인간 본성으로의 원형의 자연성을 잃어버렸고, 자연의 한 구성원으로서의 비자연적인 인간은, 어머니 모성인 지구 자연의 자연성을 파괴하는 물질성의 광포한 주범이며 자연에 대한 사악한 범죄자라고 했다. 그리고 내 귀를 잡아당겨 귓속말로 이런 말도 들려줬다.

"너희들의 행위가 너희의 몫으로 행위의 대가를 받을 것이다!"

088

인간은 완전한 존재로 태어난 것이 아니고, 완벽하게 불완전한 존재로 태어났다. 당연한 말인데도 당연하게 말을 하는 이유는, 인간이 완전하다면 그 완전한 것은 틀림없이 비인간적이거나 인간이 아니라는 것을 명확하게 다시 밝히기 위함에서이다. 그런데 어떤 불완전한 인류 하나가 불완전한 인간에 대해서 이렇게 말했

는데, "인간은 불완전하기 때문에 태어남의 누구에게나 존재의 아름다움이 있다."라는 역설의 미학을 추켜세운 멋진 말씀이다. 하기야 가장 불완전한 존재에서 신의 형상을 본다는 어떤 경구 같은 말씀도 있다고는 들었는데, 그리하여 존재 자체는 불완전함에도 불구하고 완전함이라고 하는데, 그것 역시 역설을 즐기기를 좋아하는 불완전한 인간의 미사여구에 지나지 않는다. 내가 그와 같은 숭고미한 말씀들을 완강하게 불신하는 완벽한 이유는, 불완전하게 태어난 내 존재에서 존재의 아름다움을 전혀 발견하지 못했기 때문이다. 이건 평생을 걸려 나를 관찰한 나의 존재에 대한 견실한 견해이자, 설득력이 완벽한 나의 주장이다.

089

한 인간이 자신의 기억을 잊고 또다시 내 앞에 나타나 내 시야의 사정거리 안에서 어슬렁거린다. 이 인간종은 삼 세 번이라는 '3' 의 숫자에 맹종하는 잡종인 모양이다! 완벽한 교사이다!

나는 그의 그림자에서 망각의 피부를 감추고 자신 기억의 망각을 회유하는 그 회유의 그림자를 본다. 그의 교활함의 술수로 무장된 회유의 그림자는 얼룩으로 위장된 에너지를 내게로 분사시켜 내 에너지를 교란시키고자 한다. 그러나 내게로 분사한 그 생각의 에너지는 내 에너지의 장벽에 머리를 받히고 조각난 조각으로 도태되어 한줌 재로 종말을 맞았다.

한심하고도 가엽기만 한 이 인간종은, 자신의 머리를 급속으로 회전시키면 뇌의 엔진 압이 상승되어 뇌의 활동성이 원활해진다는 비루한 착각 속에 빠져있는데, 그 비루하기만 한 성질의 형질이 자신이 가지고 있는 최고의 미덕인양 어깨를 움씰거리는 이런 인간 종이야말로 잡종의 인간 종이라고 명명할 수 있다. 이런 인간 종은 자신이 잡종이고 잡종의 분신이라는 걸 자신 스스로도 모르는데, 생각을 조금 너그럽게 펼쳐놓고 생각을 하게 되면 같은 인간종으로서 참말로 슬픈 연민을 불러일으키지 않을 수 없다. 이 연민의 감정은 생명을 가지고 태어난 같은 인간 종으로서 내 안의 씁쓸한 마음이 드러내는 진실이 번져 나와 다가간 연민의 감정이기도 한데, 자신 존재가 인간인 것도 모르면서 명명백백하게 자신이 인간인 것이 틀림없다고 생각하고 있는 것에 대한 동정의 연민으로서 말이다. 이런 잡종인 인간종과 에너지를 교환하게 되면 내 몸의 세포들은 즉시 불쾌감을 드러내고, 왜 프로그램에도 없는 공작행위를 하느냐고 즉각적인 시위에 들어간다. 심지어는 온몸의 세포들을 집합시켜 스크럼을 조직적으로 무장해 몸의 에너지를 가둬놓고 생체적 활동성을 저하시켜 최악의 피로감을 맛보게 하는 것이다.

그가 내 앞에 나타나야 할 이유를 나는 알지 못한다. 내 의식의 기억에서 완전히 지워져 버린 그가 관계를 다시 형성하자고 들이대는 이유를 나는 알지 못하는 것이다. 그리고 자신의 머릿속에 무슨 지도를 그려놓고 있는지도 결코 궁금하지 않는 것이다.

오늘 내 감성의 정원으로 편입된 나의 독립 우주는 사심 없이 던져주는 태양의 햇살로 각각의 사물들은 금색 의상으로 치장한 황금색 감성이다. 이 화사한 빛의 정원에서 끈적거리는 이물질이 지금 황금빛으로 투명한 모든 사물의 감성을 티끌만큼 오염시키므로, 태양의 미소로 나의 우주를 횡단하던 우주의 바퀴가 한순간 멈춰 섰다. 불쾌감의 피로가 내 우주 전체로 아주 잠깐 다녀갔다.

090

저울.

사람은 누구나 자신의 저울 하나씩은 가지고 있는데, 정작 자기 자신의 몸의 무게는 알지 못한다. 그 이유는 자신이 품고 있는 저울은 오직 타인의 몸무게를 재는 저울이기 때문이다.

091

천성.

천성은 자신의 근원을 이루는 자신 고유의 질료이고, 이념과도 같은 강한 강철이다.

인간은 자신이 세상에 가지고 온 자신의 천성대로 한 생을 살다 가는데, 그 천성은 자신의 본성에 기록된 영혼고유의 바코드이다. 그러므로 인간의 천성은 자신의 본성이 드러내는 의지의 반영이고, 생체적 인체를 가지고 이 물질계에서 물리적 육신으로 행위 하는 존재의 가치이다.

092

새벽 두 시…. 밤의 문장에 매혹당한 동공 안으로 형광빛 희미한 통증이 희미한 슬픔처럼 든다. 새벽 두 시가 쓴 문장의 상처를 감지한 세포 줄기가 조금 늘어나 있고, 고무줄처럼 늘려놓았던 생각의 깊이가 손톱의 길이만큼 짧아졌다.

새벽 두 시이어서 침대의 불을 끈다. 내일은 이틀 동안 미뤄두었던 아침 산책을 해야 한다. 아침 산책은 의례적인 것이 아닌 일상의 일과이고, 내 영혼과 육체의 실존이 원하는 조화로운 생명의 생존행위이다.

다리의 근육을 깨우는 가벼운 조깅. 균형 잡힌 어깨를 두드려주는 팔굽혀펴기 50회씩 6회. 허리 강화를 위한 기마자세 2분씩 2회, 한쪽 다리를 봉에 올려 걸쳐놓고 무릎 굽혀 펴기 양쪽 번갈아 50회씩 4회. 한쪽 다리를 직선으로 뒤로 펴고 팔 벌려 서는 잠자리 자세 양쪽 번갈아 1분씩 2회. 명상을 통한 숨 고르기 3분. 그리고 강물 흐르는 강둑을 따라 느릿한 걸음과의 사색 충만. 내 몸을 들고나는 아침 호흡은 자연의 에너지를 처방해주는 자연 주치의와의 상쾌한 만남이다.

새벽 두 시의 형광불은 소등인데 잠은 잠을 거부한다. 비어있는 육신의 몸처럼 밤의 속옷을 벗어버린 하룻밤 관능의 불면이다. 꿈의 불면으로 밝힌 숨겨진 사물들의 꿈은 세상의 어둠으로 흐르는 흐릿한 별들의 눈물인데, 불면의 불빛은 잠의 소등을 외면하고 감각의 두 눈을 시퍼렇게 뜨고 있다. 창을 기웃거리는 빗줄기의 빗소리, 오래된 기억들이 어둠의 이마를 두드리고 지나가는 바람의 환청이다. 무언의 밤이 말하는 소리 없는 환청의 은밀한 밀어…….

그리고 그 환청의 무음을 좇아 몸을 잊고 둥둥 떠다니는 향락의 꿈은 감각의 지느러미를 세운 불면의 수면이 되어 밤이 펼쳐놓은 밤바다에 생각의 돛을 길게 달았다. 깊은 바다의 심해로 스미는 아득한 항해! 나는 밤이 원하는 밤의 육체가 되었고, 몸이 원하는 어둠의 전부가 되었다. 잠을 잊고 깨어있는 온전한 어둠의 의식은 나의 두 눈을 크게 확장시켜 놓고 환하게 밝아진 생각의 두루마리를 기억의 넓은 이마 위에 주르륵 펼쳐놓았다.

깨어있는 불면의 지성으로 환해진 밤의 의식은 내 육체의 질료를 해체하는 시간. 육체의 중력을 떠나 외계 바다를 항해하는 낯선 꿈의 여행. 나는 꿈에서 꿈으로 유배된 꿈의 미아가 되었고, 꿈이 없는 꿈을 꾸며 꿈의 먼바다를 떠도는 잠의 망명자가 되었다. 낯선 섬으로의 계절로 떠난 아득한 밀항. 모든 외부의 사물로부터 떨어져 나와 무위의 사물로 돌아가는 무명의 시간. 나의 꿈은 느낌이 없는 꿈이고, 꿈의 의식도 없이 흐르는, 꿈의 문장이 아닌 밤의 사물을 벗어난 다른 무엇을 유혹하는 먼 그곳의 상상이 되었다. 밤의 어둠을 비상하는 날개의 욕망은 다른 풍경을 색칠하는 먼 외계 바다의 멀리까지 내 불면의 잠을 부풀렸다. 그리하여 꿈을 부화하는 나의 꿈은 깨어있는 잠의 불변이 되었고, 잠들지 않는 배경으로 꿈을 밝히는 먼 풍경의 작은 불빛이 되었다. 돛의 바람으로 밤의 공기를 채우는 공기의 방랑처럼, 무언의 은유를 꿈꾸는 무화(無畵)의 추상이 되어 나는 작은 우주의 어둠을 품고 깊고 넓은 긴 잠에 들었다. 잠의 상상을 현실화하는 꿈 없이, 꿈이 당기는 중력의 잠을 구체화하는 저 높은 곳 우물의 하늘 깊이로 더욱 깊숙이 깊숙이.

093

구름이 느리게 느리게 파란 하늘 느린 음악을 흩뿌리며 느리게 흘러갔다. 권태의 욕망을 느끼지 않는 권태로운 구름의 방랑. 또 다른 간이역의 낯선 풍경을 꿈꾸며 가고자 하는 권태의 목적지도 없이, 가고자 하는 그 목적지로…….

거품처럼 부글거리는, 부글거리고 검은 빵처럼 부푸는 권태! 사라지지 않는, 생의 마지막까지 나를 껴안고 느린 음악의 현을 느리게 뜯어내는——.

권태의 미소를 끌어안고 미소 짓는 밤이 생의 충만을 누려야 한다는 생각의 중심을 딛고 내 의식의 문을 열고 들어와 의식의 공허를 채운다. 소리 없는 무음의 권태가 흐느끼는 긍정과 비어 있는 충만의 허무가 서로의 몸을 바꾸고 하나로 섞여들어 내 영혼의 의식을 가볍게 누른다. 삶이 들려주는 기이한 이상과, 허기의 권태로 추락한 이하의 형상이 뒤엉킨 두 몸을 섞고 관능의 의식으로 내 실존의 어둠을 유혹하는 밤이다. 결코 물리칠 수 없고 거부할 수 없는 존재의 유혹, 이 강력한 유혹의 목소리가 내 심해의 어둠으로 스며들어와 어둠의 권태를 낳았다. 밤이 가득 비어있어 밤의 공허를 소리 없이 밝히는.

기억의 중력은 삶이 이행해야 할 의무로서의 권태를 내 의식의 기억 안으로 당겨 놓고 아직 상영되지 않은 미래의 환상과 환영들의 형상을 어둠의 주단 위에 주르륵 펼쳐놓았다. 까맣게 잊힌 밤의 기억을 더듬으며 찾아온 먼 영혼의 과거와 세상이 창조된 그날부터 부여받은 망각의 추억! 나는 육체의 권태를 느끼는 권태의 미소이다. 그 권태로부터 부여받은 나의 미소는 내 육체의 나른함을 바라보는 실존의 달콤함이다. 권태는 무언가를 그리워하기 위해서 그리움을 망각하고, 그 망각의 기억을 발현시키기 위해서 권태는 기억을 망각했다. 권태는 권태의 미소가 유혹하는 권태의 유혹에 빠졌다! 내 실존의 영혼에게 주어진 깊이를 알 수 없는 우울이 푸른 너울의 무늬를 만들고 잿빛 망각으로 너울졌다. 부조리한 삶을 염탐하는, 부조리한 기쁨의 환성이 멀리서 더 가까운 환청으로 들려오지 않는.

생의 표면을 흐르는 공간으로 천천히, 게으르게, 육체의 두 발을 딛고 권태의 질병이 찾아왔다. 권태는 내 육체가 느끼는 혼돈의 지각이고 우울한 눈물의 아이이고 어둠이 지펴내는 어둠의 촛불이다. 나는 권태를 앓는다. 나는 달콤한 음악처럼 곡선의 야화로 흐르는 권태의 몸을 껴안고 내 연인의 부드러운 살결처럼 권태의 육체를 사랑한다. 권태의 몸을 사유하는 권태. 권태의 망각을 꿈꾸며 권태의 본질을 상상하는 권태. 나는 권태의 무게에 눌린 권태의 수혜자이고, 권태의 육체를 유혹한 알몸의 슬픔이다! 나는 권태를 파종하고 내 육체의 온실 속에서 권태의 씨앗을 재배했다. 나는 권태의 양수를 품은 따뜻한 온실이고, 권태의 세포를 키우는 모성의 어머니다! 나는 권태를 키우고 권태를 낳았다! 권태의 육체를 껴안고 밤의 향기로 뒤섞인 실존의 꿈이 권태의 왕좌 위에 나를 앉혀놓고 내 머리 위에 왕관을 씌웠다. 그리하여 권태의 금빛 왕관은 내 육체의 문장을 기록하는 실존의 법전이 되었고, 권태의 품위는 내 우아한 권태의 밤을 금빛으로 완성시켰다. 나는 권태를 창조했다!

이제는 내게 없는 의무와 나의 사랑을 떠난 사랑들에게 기록되지 않고 지워지지 않는 기억을 남긴다. 밤의 권태를 껴안고, 권태의 옷을 벗고, 권태가 씌워준 왕관을 던진다. 권태의 욕망은 내 육신의 실존을 지우고 영혼의 자유를 읊는 푸른 영혼의 시, 다른 세상의 별에서 다르게 눕는 침대 위에서 잠들고 꿈꾸고 싶다는 간결한 소망! 꿈을 밀어낸 꿈의 중력 밖으로 중력의 꿈이 나를 당겼다. 외계의 먼 꿈을 향해 나의 날개가 멀리멀리 이동했다. 기억이 없는 꿈의 공간, 투명한 권태만이 투명한 꿈을 꾸게 하는 아주 오래된, 아주 오래된…… 그 시간 속 지금으로.

094

안개의 기억.

안개가 자욱한 새벽이다. 아무것도 보이지 않는 안개 속에서 보이지 않는 것들이 눈 속에서 환하다. 모든 것이 보인다. 내게서 떠난, 내게서 멀리 떠나 지금은 내 곁에 없는 형상들이 안개의 실루엣을 열고 그리운 모습들을 드러냈다.

안개가 여기에 있다! 안개는 투명한 안개의 사색이고, 물방울이 흩날리는 물방울의 추억이고, 네 동공 속 흐릿한 물빛으로 번지는 눈물의 기억이다.

095

의무와 물질에서 벗어난, 비대하게 비어있는 몸의 내장을 채우기 위해, 있지도 않고 존재하지도 않는 내 빈한한 창고의 부피를 채우기 위해서,

물질의 억압으로부터 종속될 필요가 없는 평화! 그것들 때문에, 그것을 얻기 위해 행위 할 노동의 가치가 사라진 평온! 그리고 지금 내 알몸의 사유로 내 안의 나를 불러내어 내 의식이 원하는 글을 쓰고 있는 자유! 나는 나의 주인이고, 내 몸은 내 영혼의 연인이다.

늦은 여유로 가을 아침에 뿌려지는 충만의 햇빛은 일억 오천만 킬로 우주 공간을 단숨에 달려온 태양의 자유이고, 이익으로부터 무익한 태양본성의 의지이다. 그 태양의 자유를 만끽하고 있는 가을 햇살은 너무나도 투명해서 세상의 모든 사물의 형상을 비추는 스스로의 거울이 되었다.

밤은 유쾌했다. 카페에서의 대화는 인간실존의 삶을 실존으로 얘기했고, 대화의 즐거움은 술잔 속의 언어를 채웠고, 언어의 사유가 채워주는 의식의 대화는 비어있는 술잔의 질량을 가득 채웠다.

삶의 실존에게 실존을 묻기. 실존에게 부여된, 실존의 아픔을 느끼는 연민의 풍경들에게 연민의 풍경으로 풍경이 되기. 그리고 보이는 것과 보이지 않는 신비적 우주와, 인간의 관점에서 관념적 관점으로 말할 수 있는 형이상의 비밀과, 또 우주 은하의 외계행성들을 술자리에 불러 합석시켰다. 두 몸의 합체인 섹스의 황홀함을 상상의 색을 입혀 환상의 입체로 회화했고, 몸의 축복을 경이로운 신비로 기록했으며, 인문이 부어놓은 술잔의 사유와 그 사유의 실존을 마셨다. 투명한 술잔 속에서 모습이 없는 형상들이 보이지 않는 모습으로 걸어 나와 춤을 추었다. 입자의 눈물과 분자들의 사유와 광자의 빛이 어우러져 무한무대를 펼치고, 어둠의 어깨를 부풀리는 오라의 아우라가 거친 숨을 뿜어 밤의 화폭을 물들였다. 신의 문장인 형이상의 비밀이 베일을 열고 모습을 드러내 보이지 않는 형상을 설핏 보였고, 우주의 신비가 무도회의 운무를 즐겼으며, 실존은 실존으로 행위 하는 실존의 무위를 두 손바닥을 합장해 찬양했다. 모든 것이 공존했고, 모두가 함께 비어있는 무였고, 비어있는 무는 있음의 향유였다. 우주의 생명은 생존으로 가득 찬 무의 채움이고 무로 가득한 공존이라고 말했다.

소박한 물질을 얻기 위한 물리적 행위를 멈추는 아침. 일상의 관습을 지우고 내면의 깊이로 추방당한 쾌적한 유배. 내 몸과 내 영혼이 투명한 햇살의 만취로 취한 실존의 형상이 되었고 실체의 실존이 되었다. 나는 태양의 자유를 마시고 내 실존의 순간을 탐닉하고 눈부신 생을 찬미했다. 가을 햇살은 엷고 짙은 황금색으로 온 세상에 물들어 모든 사물의 풍경을 아침의 대지 위에 펼쳐놓고 신성한 경배에 들었다. 내 실존 안에 존재해 삶의 그리움을 직조했던 사랑들, 내게서 떠난 사랑의 손짓들이 실존의 형상으로 남겨진 내게 풍요의 무늬를 수놓아 내 머리위에 둥근 화관을 씌워주었다. 생의 무늬를 점묘하는 햇살들, 내 동공 안으로 침입한 햇살의 눈부심은 명료한 의식의 탈선을 부추기고 멀리 있는 모호한 풍경의 다른 외계로 나를 유혹했다. 빛 알갱이들의 파동이 무늬 지어 반짝인다. 눈이 부시어 아름다운 슬픔! 나는 슬픔의 자유를 태양의 제단 위에 올려놓고 내게 주어진 내 실존의 형상을 숭배했다. 투명한 빛의 화살이 투명한 기억의 몸을 관통하므로…… 나는,

햇살의 투명함은 태양의 슬픈 눈물이라고 내 영혼의 백지 위에

한 줄의 시를 쓰고 한 줄 시의 문장이 되었다. 생의 실존으로 형상화한 무형의 실체를 내 실존 안에 담아 태양의 눈물을 받아 마셨다. 표면의 현상과 암흑의 비밀이 서로 살을 맞대 부비는 실존의 피부. 존재의 실존인 영혼의 육신! 그리고 봉인된 망각의 문을 열고 망각의 행진을 연주하는—— 아주 먼 심연의 그곳에서 들려와 무성의 환희로 퍼지는 무음의 송가! 들리지 않는 무성의 화음으로 무한의 북을 두드리며 형이상의 악보를 연주하는 실존의 합창 소리!

096

내 안에서 파랑으로 번지는 수채화의 물빛 풍경. 마음은 빛보다 먼저 닿아 먼 외계행성의 언덕 위에 상상의 풍경을 만들었다.

상상은 창조를 담고 있는 마음의 기능이다. 세상의 모든 풍경은 상상의 내면에서 풍경의 존재성을 발견하고 존재의 풍경을 밖으로 드러낸다.

상상의 풍경 속에 던져진 나.

이 낯선 곳의 나는 얼마나 낯설고 새로운지! 나는 나의 풍경으로 내면의 풍경을 드로잉하고 그 풍경 안에서 풍경의 원형을 직조했다. 풍경의 진짜 모습, 나의 풍경은 풍경의 의식을 창조한 의식의 풍경이다.

097

상상은 드러나지 않는 풍경에 추상의 색을 입혀 형이상학적 신비의 형상을 만든다.

초현실의 화풍을 지향하는 '이수화가'의 전시회에 갔다. 보이지 않고 알 수 없는 세계의 너머를 들여다보고자 하는 인간 내면의 심리가 작품 속에 담겨있다. 물리적 현실의 형상을 배제한 작가의 사유로 추상적 신비를 초현실적 감각으로 담은 회화이다.

예술은 불가능한 것들을 통해 불가능한 것을 추구하는 불가능의 과정이다. 그 과정 속에서 불가능한 것을 가능한 것으로 내면화하고, 그 내적 세계의 상상력을 외적 세계의 풍경으로 드러내 묘사하는 것이 예술의 행위이다. 그러므로 불가능하다는 그 이유 때문에 불가능한 세계를 엿보고자 하는 인간의 심리는, 의식 속에 잠재돼있는 내적 영역에서 발현되는 인간 본성의 방랑벽이고, 내적근원이 함께하는 세계로의 다차원적인 여행이다. 또한 근원으로서의 존재에 대한 불명확하고 실현 불가능한 것에 대해 욕망하면서, 그 욕망의 환상을 드러내 구체화하고자 하는 심리적 의지이기도하다.

물리적 상상은 우리가 감각으로 느끼는 실존적 우리의 육체이고, 또 다른 하나의 추상적 차원은, 내면의 풍경으로만 느낄 수 있는 신비적 차원이다. 그러므로 유한한 육체를 가지고 물리적인 차원에서 물리적 행위로만 행위 할 수 있는 인간은, 물리적 차원을 넘어선 다른 차원의 세계를 들여다볼 수 없고 상상으로만 닿을 수 있다. 그럼에도 불구하고 인간 내면에서 표출되는 추상적 상상은 그 불가능한 세계로의 진입을 어느 정도까지는 가능하게도 한다. 웬가하면 우리의 내면 깊은 곳에 잠재돼있는 근원의 기억에는, 태양의 기억을 완전히 지우지 않은 아득한 풍경들이 우리 안에 남아있어서, 삶의 순간순간 그 그리움의 여정에 자신의 발길을 담고 있기 때문이다.

애초부터 인간의 생명근원에는 초월적 속성이 있었다. 하여, 인간은 하늘을 닮은 이상적 존재이다. 그리고 존재의 향기로 가득한 신비의 정원인 우주는 창조로부터 파생된 생명의 몸짓을 향유하는 무한공간의 놀이터이다. 그렇기에 인간 생명에는 근원으로부터 주어진 우주적 신비의 요소가 들어있는데, 우리에게 주어진 신비를, 우리 안에 실제로 내재돼 있어 우리의 정원이었던 신비의 영역을 우리 스스로가 망각해버리고 기억에서 지워버린 것이다.

고대 그리스 문헌에는 이런 말이 있다. "나는 대지와 별이 빛나는 하늘의 자식이지만 본디 태생은 하늘이다." 하여, 나의 본향은 하늘이다. 우리가 발을 딛고 살아가고 있는 이 물질계는 지구 행성의 현실에 맞게 형상화된 영적 세계의 산물이며, 인간의 내면 안에는 근원으로서의 영적 영역이 언제나 존재하고 있는 것이다.

예술 행위를 하는 이유는 삶은 무엇이고, 존재는 세계 안에서 어떤 존재로 자신의 존재를 드러내며, 궁극적인 나의 존재는 무엇인가 하는, 자신 스스로가 스스로에게 던지는 존재의 물음일 것이다. 또한 예술 행위는 인간의 근원적 감정을 드러내고자 하는 인간존재의 자발적 행위이고, 자신의 근원이 무엇인가를 알고자 하는 인간 본성의 창조행위이며, 자신이 떠나온 그곳의 풍경으로 다시 돌아가고자 하는 내적근원으로서의 그리움의 표출이다. 그것이 현실의 물리적 행위이든 내면으로서의 근원적 행위이든 상관없이 말이다.

삶의 비밀은 우리가 알 수 없는 신비 속에 숨겨져 있다. 우리 모두는 길 위의 순례자로 태어났고, 나는 어디에서 왔으며, 지금의 나는 누구이고 나는 어디로 갈 것인가? 라는 물음 앞에서, 우리의 내면은 현실 삶의 너머를 그리워하고 존재의 근원을 갈망한다. 내 존재의 근원은 무엇일까? 존재의 그곳은 어디일까? 상상너머에? 상상 속에서만 존재하는 그곳에? 아니면 우리의 현실

속에서 현실로 존재하고 있는, 우리가 지금 여기에 발을 딛고 있는 실존의 이곳에?

생의 여정은 홀로 태어나 혼자 걸어야 하는 고독한 순례이다. 생의 신비는 끝이 없이 이어져 있는 생과 사의 두 갈래 철로이고, 그 철로를 따라 흐르는 여행이고, 철길 곁 풍경으로 남아 풍경이 되는 간이역의 풍경이다. 나는 어떻게 이곳에 왔는지 알지 못하고, 어디로 갈 것인지 알지 못하고, 지금 존재하고 있는 존재의 이유조차도 알 수가 없다. 목표를 알 수 없는 목표를 향해서 끊임없이 길을 걸어가야 하고, 그 길 위의 순례자가 되어 길 위의 표정으로 생의 여정을 기록해야 하는 것이 우리의 숙명이다.

삶은 이어지고 죽음 또한 끝나지 않는다. 생의 어느 한 곳에 정착됨이 없는 우리는 어딘가로 끊임없이 길을 따라 길을 갈 것이고, 또 어디엔가에 머무를 것이고, 낯설거나 혹은 낯익은 풍경으로 생의 길목 어디쯤 존재해 있을 것이다. 우리가 원하든 원하지 않던 생의 축제는 계속 이어질 것이니까 말이다. 지금 이 대지 위에 발을 딛고 있든, 또는 우리가 닿을 수 없는 상상의 근원 안에 우리의 존재가 존재 자체로 존재해 있든.

098

인간은 조각으로 태어나 흩어진 자신의 조각을 꿰맞추는 생을 산다. 때문에 인간의 생은 생의 수많은 길을 열고 자신의 목적지를 찾아가는 퍼즐의 미로이다. 하지만 미로의 목적지는 보지 못하고, 찾고자 하는 목적지를 알지 못하고, 닿고자 하는 그 목적지에 도달하지 못한다. 그러나 우리 모두 딱 하나의 확실한 길을 찾아내는데, 그 길은 모든 길의 끝점에서 우리 모두에게 주어진 공평무사한 푯말이 꽂혀있는→〈이곳〉을 알리는 화살표가 그어진 길의 입구이다. 우리가 들어서야 할 이 길의 이름은 ( )이라는 푯말을 꽂고 있는, 이 지상의 길 중에서 가장 확실한 실체를 우리에게 보여주는 단 하나의 실제 길이다. 우리 모두 생의 여정에서 마지막으로 찾아낸 이 길은 세상에 하나밖에 없는 실제로 존재하는 실체의 길이고, 모든 누구나가 가야 하는, 누구에게나 공평하게 할당된 딱 하나의 길이자 가장 '완벽한 길' 이다.

099

금? 귀중하고 번쩍거리는 순금? 아니, 신들이여! 헛되이 내가 그것을 기원하는 것은 아니라네. 이만큼만 있으면 검은 것을 희게, 추한 것을 아름답게 만든다네. 나쁜 것을 좋게, 늙은 것을 젊게, 비천한 것을 고귀하게 만든다네. 문둥병을 사랑스러워 보이게 하고, 도둑을 영광스러운 자리에도 앉힌다네. 그리고 원로원 회의에서 도둑에게 작위와 궤배와 권세까지 부여한다네. 이것은 늙어 빠진 과부에게 청혼자를 데리고 온다네. 양로원에서 상처로 인해 심하게 곪고 있던 그 과부가 매스꺼움을 떨쳐버리고 향수를 뒤집어쓰고 젊어져 오월의 청춘이 되어 청혼한 남자에게 간다네.

오, 번쩍거리는 황금은 황금의 번쩍거리는 덧없음을 비춰주는 마법의 거울이라네. <아테네의 티몬> 4막3장 셰익스피어 탄식처럼 티몬의 탄식을 몽상하는 나른한 오후…….

나는 미다스의 황금의자에 앉아 황금 포도주잔을 들고 황금으로 넘실거리는 황금들판을 바라보았네. 세상은 찬란한 황금빛의 탄식.

오, 황금 너울로 노래하며 황금 세상에서 출렁이는 황금 물결의 빛나는 춤이여!

황금빛 금빛 날개의 천사들이 온 누리 순금의 햇살 가닥을 쏟아부어 금빛의 비가 흠뻑 젖는 몽환의 한낮.

100

집으로.

"돈을 세며 날을 밝히소서!" 세무사무소 입구에 놓인 화분 리본에 적힌 글귀이다. 세무사무소를 개업한 사람에게 보낸 어떤 정겨운 이의 글자축복이다.

그런데 돈을 세며 날을 밝히다니? 느닷없이 바닥에서 솟는 분수처럼 분출하며 뻗는 생각이 생각의 이쪽저쪽을 옮겨가며 혼돈의 널을 뛴다. 하기야 물질적 부유함은 누구에게나 자유이고, 누구나가 원하는 생존의 필수욕구이므로, 누구나가 원해야 하는 그 욕구를 명징하게 드러낸 관능적인 문구이기에 더욱 재미있고 풍성한 건 분명 분명한데, 물질의 경계로부터 무뎌진 내 감각에 신선한 충격마저 주는 야릇한 문구인 건 분명한데, 잠시 생각을 풀어놓고 생각을 추수리는 지점으로 생각의 끝이 다다르자 경멸을 더한 혐오가 뇌신경 세포들의 명상을 사납게 건드린다. 어느 잡종 인류 하나가 길가는 한 인류에게 이런 불쾌를 선사하다니! 그런데 읽는 재미를 주고 나를 미소 짓게 하는 이 문구는 아주 오래된 문구이지만 아주 친근한 문구이다. 그래서 낯설고 아주 낯익다. 그럼에도 나를 미소 짓게 만든 유머러스한 이 한 구절 문구의 역사를 다시 생각을 해보니, 이 짧은 한 구절의 문구는 인류가 물질로부터 받은 사랑을 발견한 후부터 천년만년 오랜 세기를 걸쳐 인간이 구걸해온 탐욕의 문구인데, 성스러운 경전과 같은 문구인 것이다.

지금 나는 내일의 민생고를 해결하기 위해 커피를 팔아야 할 장소에 미리 커피트럭을 세워두고 집으로 돌아가는 길이다. 내 민생고 해결을 위한 방법은 주말마다 커피를 파는 일인데, 그것이 일기변화로 인한 재난 상황이 발생하면 일주일에 하루가 될 때가 있고, 그 재난 상황이 매듭을 맺지 않고 이어지기라도 하면 일주일이 그냥 무일의 경제로 지나쳐버리기도 한다. 어쨌거나 일주일에 하루나 이틀의 노동으로 내 육신의 안위를 챙긴다는 것은 생이 내게 하사해준 경외의 축복이자 은총의 금메달인 것이다. 그렇기에 축복으로 충만 된 내 두 어깨를 번쩍이는 금빛으로 도금해 황금 메달을 목에 걸어준 나는 연민과 지혜의 우주 지성에 속해있는 사랑의 씨알이므로 축복받은 인류의 하나이다. 그래서 내 육신과 영혼을 굶기지 않을 정도로만 생에게 나를 봉사하는 것, 그건 나의 게으름과 무능을 눈감아주는 조물주의 관대한 배려가 틀림없을 것이니까 말이다. 그건 나의 무능함으로 무능함의 무익에 감염된 나를 격려해주고 두드려주는 조물주의 따뜻한 연민의 손길일 터이니 말이다.

"돈을 세며 날을 밝히소서!" 한 구절 기도문 같은 글귀를 암송하면서 집으로 가는 버스를 타기 위해 가까운 버스정류장을 지나 몇 번의 정류장을 걷고 걷는다. 왜냐고 묻는다면 두 발이 튼튼하고 나는 걷고 싶으니까. 혐오와 경멸의 글귀를 지우면서 걷는 내 발길 위에 그득한 밤이 내려와 세상의 밤길마다 까만 먹빛

주단을 깔아놓았다. 저기 아득히 펼쳐놓은 상상너머 은하의 우주처럼, 우주의 크나큰 큰 얼굴이 순식간에 어둠 전체를 큰 우주 전체로 확장시켰다. 나의 큰 우주가 펼쳐놓은 넓디넓은 창공에서 어둠을 뚫고 싹을 틔운 별의 씨앗들이 하얀 꽃잎을 피워내며 펑펑 튀밥을 튀겼다. 고소하고 희미한 눈물 같은 튀밥. 내 까만 동공 안으로 쏟아져 빛무리를 이루는 은하의 별 밥. 밤의 꽃잎을 하얗게 피우는 별들의 씨앗들이 펑펑펑 저 광활한 우주 정원에서 꽃으로 만개하는 밤이다.

101

희망.

희망을 정복한 사람은 만인의 연단 위에 서서 어깨를 쫙 펴고 미소 가득 말한다.

"여러분도 나와 같은 노력을 하면 모두가 꿈을 이룰 수 있습니다. 남들이 잠잘 때 눈을 뜨고, 남들보다 더 많은 노력을 투자하면 지금의 나와 같이 여러분 모두도 이 자리의 주인공이 될 수 있습니다."

정말 그럴까? 이 연단 위의 긍정적인 희망의 말이 정말 우리 모두에게 꿈을 주고 희망을 이루게 할 수 있을까? 피멍 얹은 꺼칠한 살갗의 배밀이로 바닥의 희망을 밀고 시커먼 콘크리트 바닥에 코를 박으면, 정말 우리 모두 희망이 되어 이 희망의 나라에서 희망적인 생을 살아갈 수 있을까? 바닥의 밑바닥에 입을 맞추고 짧은 허리를 구부리면 우리 모두 꼽추 인간이 아닌 꿈의 실체가 정말 될까?

발이 없는 신발은 세상의 희망을 찾아 헤매고, 발이 없어 닿을 수 없는 희망은 풍문으로만 떠도는 달콤한 목소리에 깜박 속는다. 깜박 속고 계속해서 속고 평생토록 속는다. 희망을 정복한 그 연단위의 달콤한 말이 우리에게 희망을 전해주는 메신저 역할을 자처하며 모두의 절망 앞에 당당한 자신을 내세우지만, 그건 포장된 진실이지 진짜 진실을 드러낸 알몸의 내용이 아니다.

까마득해서 봉우리의 가지 끝만 가물가물 흔들리는 그곳. 두 눈을 아무리 크게 열어놔도 까마득 안개 입자만 가득한 먼 곳. 우리가 닿을 수 없는 그 꼭대기봉우리엔 헬기를 타고 정상을 정복한 부조리한 욕망들이 있었기에, 그 부조리한 욕망들은 많은 이들의 희망을 짓밟고 움켜 진 탐욕의 욕망이었기에, 그 탐욕의 욕망으로 정복된 희망들은 두 발바닥을 딛고 닿을 수 없는 우리 모두의 폐허였다. 그러므로 나는 '모두에게 희망' 이라는 그 긍정의 말을 단연코 부정한다. 왜냐하면, 포장된 긍정은 진실의 얼굴을 감추는 가면의 미소이고, 진실 된 부정은 숨겨진 진실의 얼굴과 가까운 이웃이기 때문이다.

희망을 꿈꾸고 희망과의 만남을 위해 인생의 전부를 바치는 것이 우리의 삶이다. 하지만 삶의 희망이 오직 자신 개인의 욕망만을 위해 질주하는 희망이라면, 그 희망을 움켜쥔 손으로 다른 이들의 희망을 가로젓는다면, 그리하여 그 이기적 욕망에 가로막힌 다수의 희망이 절망의 눈물을 흘린다면, 그 독선과 탐욕의 희망은 절망으로 눈물을 삼키고 있는 가혹한 인생보다 천만 배는 더 불쾌하다. 왜냐면 희망이 막혀버린 절망으로서의 삶은 그 절망 속에서도 인간 삶의 가치와 사랑을 배우지만, 욕망의 탐욕으로 자신의 욕망만을 가득 채운 삶은 투쟁과 미움과 거만의 그림자를 낳고, 또 그 그림자의 주인이 되어 자신의 욕망에게 희망의 가면을 씌우고, 그 가면의 사악한 덫칠로 희망의 본질을 교살하기 때문이다.

그런데 희망이라는 욕망의 전선에서 비전투원으로 투입된 너는 욕망이라는 전투적 무기를 가져 본 적이 있었던가? 너의 희망은 투쟁과 미움과 거만의 주인공이 되어 희망이라는 전선에 속해 욕망의 무기가 되고 싶었지만, 우리 모두의 희망은 희망의 외곽그늘에서 그 그늘의 그림자도 되지 못했다.

102

너 자신을 알고 깨달으라는 성인들에 대한 우울한 항변.

너 자신을 알라고 인간의 무지를 계몽했던 소크라테스는 이천 년 전 현자였다.

모든 인간은 스스로 깨달음을 얻어 해탈해야 한다고 수 천 년 동안 부처는 설법했다. 예수는 사랑만이 인간을 구원할 것이라고 하나님의 사랑을 전하다가 피에 젖은 십자가를 등에 업었었다. 모두가 수천 년 전의 성인들이 인간에게 남긴 성언이다. 하지만 그 수천 년이 지났어도 인간은 무지에서 벗어나지 못하고, 깨달음을 외면하고, 사랑을 사랑하지 않는다. 앞으로도 영원히, 또 영원히 그럴 것이다.

깨달음과 사랑은 자신의 근본으로 돌아가 자신의 본성을 알라는 말이다. 그런데 사람이 사람의 근본을 알면 사람이 아닐 것이고, 자신이 자신의 본성을 알면 그것 또한 자신이 아닐 것이다. 그러하기에 인간은 그저 인간일 뿐이다. 자신에게 주어진 생을 살아내는 것만이 인간에게 주어진 궁극의 의무이자 목표일 것이니 말이다.

인간은 자기 자신을 알고 스스로를 깨달아 애초의 본성으로 하나가 되는 것이 가능하지 않다. 그러하기에 인간은 수천 년이 아닌 수만 년, 수수만년의 우주 시간이 지나도록 반복된 삶을 이어가는 유기체로서의 인간으로 그냥 남을 것이다. 그때까지 인간이 이 지구상에 존재할 것인지는 모르겠지만 말이다. 하여 내가 나를 알고 깨달아 본성의 경지로 들어가라는 말은 서둘러 잊어버리고, 깨달음의 단어를 인간의 사전에서 지워버려야 한다. 왜냐면 내가 누구인지를 스스로 망각하고 나를 잊는 것이 곧 나를 알고 깨닫는 방법일 것이니 말이다. 완전한 인간이란 자신이 인간인 것을 망각해버린 인간이어야 하기 때문이다.

그런데 인간이 자신을 잊고 자신 존재를 망각하는 것이 가능이나 할까? 나의 존재를 부정하고, '내 실체가 없음' 을 받아들이는 것이 인간에게 가능한 일일까? 자신을 무로 망각하는 것도 깨달음을 얻는 것과 같이 인간에겐 가능하지 않은 일이다. 때문에 인간은 말이 행하는 말의 모순에서 빠져나올 수 없고, 실현이 될 수 없는 깨달음의 사고에서 제외될 수밖에 없다. 그렇기에 진심을 다해 인간을 위로하는 한 구절 이런 문장도 있다.

"너희가 늘 듣기는 들어라. 너희가 늘 보기는 보아라. 그러나 너희는 깨닫지 못하고 알지 못한다."(이사야 6:9장).

103

노예.

인간은 다중적 노예이다. 인간은 신들의 노예이고, 권력의 노예이고, 물질의 노예이고, 시간에 복종하는 시간의 노예이고, 자신의 에고에 순종하는 에고의 노예이다. 고로 나는 이 모든 것에 종속된 사슬의 노예이니, 그런즉 인간은 전 우주적 노예이다.

언젠가 이 지구 행성에서도 신들의 생물 노예인 인간에게 같은 종(種)의 인간인 인간 노예가 있었는데, 그 노예의 노예 문서가 사라진 지금 인간은 또 다른 노예를 소유하기 위해 과학을 이용한다. 바로 기계 노예이다. (노예제도가 이 지구상에서 없어진 지 오래됐지만, 아직도 지구 어느 곳에서는 인간 노예를 사고파는 노예매매가 있다!).

인간은 인간의 주인이 되어 인간을 부리고자 하는 생각을 멈추지 않는다. 그건 인간의 근본이 노예이기 때문인데, 인간이 노예에 집착하는 이유는 나 외의 타인들을 자신의 노예로 부리는 것이 자신을 노예에서 벗어나게 하는 최선의 길이라고 믿고 있기 때문이다. 그렇기에 이 노예제도를 영구히 부활시키고자 목숨을 걸고 전력투구하는 집단들이 언제나 있어왔는데, 그 집단들이 인간의 종교 권력과 과학(권력) 집단이다.

과학은 과학만이 세계의 진실을 알아낼 수 있고, 과학이 검증해낸 진실만이 인간의 삶을 진실 되게 해줄 것이라고, 과학이라는 종교를 내세워 사실 불가능한 온갖 가설로 과학 문명을 숭배하도록 인간의 뇌를 쇠뇌 시키고 있는데, 과학의 본질을 외면한 과학은 종교를 정복하고 종교 위에 군림하고자 하는 탐욕과 교만으로 가득 차 있다. 인간의 자유와 본성을 억누르고 인간을 인간에게 종속시키고자 두 손바닥을 합장하는 종교의 권력을 넘어서서 최상의 인간 신교로 등극하고자 하는 탐욕의 욕망으로서 말이다.

세계가 담고 있는 속성의 본질은 과학으로 확인 증명할 수 없고, 인간의 종교로도 설명할 수 없다. 마치 자신들이 신의 대리인인 듯 신의 명찰을 달고 인간을 인간의 무릎 아래로 종속시키려는 인간 종교와 검증 불가능한 세계를 과학만이 검증할 수 있고, 과학을 통해서만 세계의 진실을 알아낼 것이라는 위장된 포장으로 오만에 빠져있는 과학은, 과학으로 밝혀낼 수 없는 세계의 본질을 왜곡 호도하고 있다.

신앙 없는 과학과 비과학적인 신앙, 종교는 과학을 거부하고 과학은 종교를 비난한다. 서로가 자신들의 주장만이 진실이라고 상대를 폄훼하는 과학과 종교는 수단과 방법을 가리지 않고 인간을 자신들의 권력에 종속시키고자 질주하는 권력의 쌍두마차이다. 이 두 마차의 끊임없는 질주는 지구의 궤도로부터 자신들의 욕망이 탈선되지 않는 한 계속되는 질주를 멈추지 않을 것이다. 이렇게 지칠 줄 모르는 권력을 향한 욕망의 질주에도 불구하고, 종교의 진실이든 과학의 본모습이든 세계의 모든 진실은 물리적으로 드러난 힘에 의해서 깊은 수면 아래에 숨겨져 있는데, 그 숨겨진 진실은 자신의 모습을 드러내지 않는다.

존재로서의 인간은 왜곡되고 변종된 종교의 폭력에 의해서 존재의 자율성을 잃어버리고 인간종교의 노예가 되었듯이, 언젠가는 소수의 권력을 제외한 '다수'의 사람들은 과학의 노예인 기계의 노예가 될 것이다. 인간 스스로가 인간성의 퇴보를 선택한 인간은, 인간이 만든 기계에게 집행관의 권력을 부여해 인간을 집행케 하는 단두대의 칼날을 기계에게 쥐어줄 날이 올 것이다. 왜냐하면 기계는 인간의 사고에 의해 설계될 것이고, 그렇기 때문에 기계는 인간의 속성을 구현할 것이며, 인간의 속성에 기반한 기계의 폭력성은 그 기계를 만든 인간의 폭력을 닮은 성질의 아바타로만 존재의 의미가 부여됐으니 말이다.

인간의 삶이 물질의 욕망과 집단의 이기주의로 질주하는 물리적인 인간세계는, 소수가 움켜쥔 은밀한 이익집단의 폭력에 의해서 이 세계가 조종되고 움직이고 있다. (반면에 선한 인간애로 인간의 삶에 긍정적인 에너지를 전파하는 사람들이 있다. 그런 에너지의 아우라가 세상을 비추지 않는다면 세상은 진짜 지옥일 것이다). 세상사에서 벌어지는 최악의 폭력은 다수의 민중이 아닌 소수의 권력들이 행하는 폭력이기 때문이니까 말이다. 그렇게 소수의 폭력에 의해서 조종된 다수의 사람은 조종된 자신의 삶이 자신 삶의 전부인 듯, 자신의 존재를 망각한 채 스스로 노예의 삶을 살아가고 있다. 마치 운전자의 조작에 의해서 괴성을 내지르며 달려가는 자동차처럼 말이다.

인간은 노예로서의 감금상태를 벗어 날 수 없다. 인간은 노예의 유전인자를 몸에 새기고 있는 생래적 노예이기 때문이다. 어쨌든 인간이 신의 노예이든, 인간이 인간의 노예이든, 또는 인간이 만든 기계의 노예가 우리 인간이든 인간인 우리는 노예 상태에서 벗어날 수 없고, 우리의 의지로 반항할 수도 없으며, 거역할 수 없는 노예의 삶을 따라야 하는 것이 우리에게 주어진 노예로서의 삶이고 생존의 숙명이다. 그런고로 자신의 의지와는 무관한 채 소수의 권력에게 정복당한 다수의 사람은 여전히 세기와 세기를 걸쳐 모든 세기가 끝나고 지구 무대의 막이 내려질 때까지, 자신들의 존재를 잊은 채 지치지 않는 노예의 삶을 살아갈 것이다. 하여, 노예들의 합창이 울려 퍼지는 이 지구 행성은 즐거운 노예들의 천국이고 천당이며, 신명 터지는 노예들의 영원한 축제 현장이 될 것이다. 왜냐하면, 이 지구 행성에서 거주하는 우리 인간은 노예를 소유하고 스스로도 노예가 되기 위한 욕망을 끝내지 않을 것인데, 그 이유는 인간의 본질이 바로 노예이기 때문이다.

104

우리는 무대 위의 배우이고, 삶은 완벽한 구성으로 짜여 진 한 편의 실제 연극이다.

삶은 무대 위의 연극이다. 이 지구 무대에선 수십억의 사람들이 자신에게 할당된 극을 연기하고 있다. 이건 뇌가 요구하는 상상이 아니고, 여기 지구영화관에서 수십억의 인구가 펼치는 연기를 지구 스크린을 통해 실제적으로 보여 주고 있는 것이다. 지구에 파견된 그 수많은 배우가 이 지구 무대 위에서 일사불란하게 자신에게 주어진 배역을 충실히 연기하고 있는 것이다.

지구는 티끌 같은 행성에 지나지 않는 보잘것없는 우주의 변방 무대에 지나지 않지만, 지구에 소속된 인간 생명체인 우리가 보고 느끼는 지구 무대는 넓고 광활한 무대이다. 그러하기에 수십억이나 되는 사람들이 이 지구 무대 위에서 저마다의 연기를 펼칠 수 있는 것이다.

우리 모두 우리가 배우라는 것을 실감하고 있지 않지만, 말하고 행위 하는 우리는 삶의 무대 위에 선 배우다. 그렇기에 이 넓고 광활한 지구 무대에서는 수십억 배우들이 자신의 개성을 발휘하는 연기수업에 열중인데, 그중에는 연기가 익숙지 않아 엔지를 연발하는 초보 배우들도 있고, 능숙한 연기로 자신을 드러내며 자신의 존재를 상징적인 존재로 각인시키고자 하는 노련한 배우들도 있다. 우리 모두에게 주어진 무대가 그러하기에 우리가 행위하고 있는 이 무대극은 지극히 단순한 무대극이기도 하면서, 상황에 따라서는 난해하기도 한 내용으로 꾸며져 있다.

극의 장르는 희극과 비극 그리고 코미디극이 전부인데, 극의 내용은 수천 년을 우려먹은 고전의 내용이어서 지루하고 진부하기 짝이 없지만, 때에 따라서는 오감의 비장감을 각인시키게 하는 극도 있다. 그런데 한 가지 아이러니한 공통점은 극의 시나리오를 작성한 정체가 무엇인지도 모르고 수십억의 배우들이 이 지구무대 위에서 자신에게 주어진 연기를 한다는 점이다.

비극은 누구나 인생 전체에서 한두 번은 무대의 주인공 역할을 해야 하게 돼 있는 극인데, 이 비극 배역은 때와 장소에 의해서 신중을 기해 극의 주인공이 선택되고, 무대에 선택된 주인공은 심혈을 다해서 맡은 극의 역할을 잘 소화해 내야한다. 왜 그런가하면 비극을 연기하는 배우의 에너지가 필요 이상으로 분출해서 극의 흐름을 심각하게 손상시킬 수가 있고, 또 과도한 에너지의 방출로 인해 예기치 않은 불행한 일이 발생하여 자칫하면 극의 중간에서 무대극의 막을 내릴 수도 있기 때문이다. 이 비극무대는 자신의 모든 에너지를 쏟아 온 몸을 던져 연기해야 하는 일생일대의 중요한 무대이다. 그러므로 비극 연기는 인간 최대치의 감정을 요구하는 최상의 극적인 극이기에, 비극 무대에 선택된 배우들은 역할의 어려움에도 불구하고, 자신에게 주어진 무대극에 최고치의 보람을 느끼며, 자신의 열정을 쏟아부어 최상의 연기를 연기하는 무대인 것이다. 그리고 이 비극 연기를 그럴듯하게 잘 소화해내면 연기의 완숙함을 보장받을 수 있는 배우로 거듭나 배우로서의 등급이 한 단계 높아진다.

비극과 희극 그리고 코미디 세 가지 극 중에서 우리가 가장 선호하고 많은 배역을 맡아 연기를 하는 극이 코미디극이다. 이 코미디극은 인생의 재미를 주고 우리에게 즐거움을 주는 무대에서의 신나는 배역이다. 또 코미디극이 주는 장점이 있는데, 코미디극은 초보 배우가 잘 소화해낼 수 있는 극이고, 연기가 쉬운 만큼 모든 초보 배우들에게 무제한으로 주어지는 극이다. 극의 내용이 그러하기에 초보 배우들은 수 세기를 걸쳐 코미디극 무대에 오르고자 하는데, 이 코미디극은 연기의 신중함을 필요로 하지 않고, 극 중에 주어진 특별한 대사도 없을뿐더러, 자신이 맡은 배역에서 아무런 제제나 제한도 없이 바깥에서 오는 자극만을 감각하고, 그냥 웃고 떠들고 즐거운 표정만 지으면 완성돼는 무대위의 극이다. 한마디로 인간생존의 다양한 말초적 장면을 보여주는 극인데, 극을 연기하는 배우도 마냥 즐겁다.

마지막으로 극 중에서 가장 어려운 연기를 요하는 극이 희극이다. 왜냐하면, 희극 속에는 비극이 포함돼 있어야하고, 필요하면 코미디극까지 함께 포함시켜야 돼는 광범위한 소재를 품고 있는 극이 희극이기 때문이다. 그렇기 때문에 실로 배우의 노련함이 요구되는 무대극이 희극인데, 이 희극은 극 중에서 가장 차원이 높은 극이므로 생의 하반기로 넘어가는 인생의 8부 능선쯤에서나 배역이 주어지며, 배우 자신의 인생론과 극의 내용이 철학적 사유의 조화를 이루어야 한다. 마지막 무대로 주어진 이 희극역할을 다 마친 뒤에야 비로써 영예의 월계관이 배우에게 씌워지고 무대를 내려오게 되는 것이다. 그리고 배우로서의 소명을 끝으로 인생 졸업 무대에서 화려한 꽃 화관을 머리에 쓰고 금박 테를 두른 졸업장을 받고 무대를 떠난다.

내가 지금 역할을 맡고 있는 〈권태의 미학〉이라는 극은 희극의 한 장르 단막극인데, 대사도 없는 대사들로 쓰여 진 극이다. 이 극은 대상도 없이 혼자서 중얼거리는 것이 극중 대사인데, 이 무대극은 인생의 전반기부터 후반기에 이르는 모든 장면을 모노로 다시 재편성해야 하고, 자신이 기록해놓은 대사를 처음부터 반복해서 대사의 맥을 하나하나 점검해야 하는 정말 지루하기 짝이 없는 무대이고, 심하면 대본에도 없는 대사를 토해내야 할 정도로 역겨운 극이다. 시나리오가 무미건조하고 내용이 덜 헹구어진 걸레 조각처럼 너절해서 신경질적인 불평으로 극을 펑크 내기도 하고, 어떤 극한 상황이 발생하면 대본을 집어 던지고 한동안 연기를 중단해야 하는 일이 발생하기도 한다. 이건 희극배우로서의 자질이 의심되는 심각한 엔지이자, 내게 주어진 배역을 고의적 반발로 회피하고자 하는 무책임한 행위이다. 그리하여 나는 안타깝구나! 내 의지와는 상관없이 내게 주어진 무대여 소리치고, 땅바닥의 권태를 더듬는 뱀의 몸뚱어리로 꿈틀거리는 긴 긴 지루함의 연속극이여! 하고 소리 지른다. 그리고 인생 무대의 참담한 혹한이여! 하고 또 절명의 비명을 크게 질러보는데—— 그럼에도 불구하고 이 참담한 단막극이 끝나면 〈권태의 역사〉라는 서사 극이 마지막으로 나를 기다리고 있다. 심각하고 난해한 배역이 무대 위에서 나를 기다리고, 또 내 두 손을 덥석 포개 잡을 것이다. 오……!

105

전체우주 행성에 존재하는 고도로 진화한 지적생명체, 그리고 지적 미개 생명체들.

지구 행성 외 전체우주 안의 다른 수많은 행성 중에는 여러 종류의 지적생명체가 있다. 그중에서는 지구 인간보다 더 미개한 종(種)들도 있는데, 지구 인간 역시 의식이 진화하지 못한 미개종의 하나이다.

지구 인간의 의식 레벨 단위는 200정도까지의 단위라고 하는데, 세계인구의 15%만 의식 수준이 200 이상이고 나머지 85%는 200이하의 의식 수준이라고 한다. 200 이하의 의식 레벨 수준은 야만적이고 동물적인 공격성을 가지고 있다고 하고, 지성을 갖추고 있는 인간의식 수준은 측정계수 500이 되어야 한다고 한다. 그런데 의식수준 500의 수치는 세계인구 중에 단 5%라고 한다.

그렇다면 지구 인간의 의식 레벨이 500 이상의 지성 수치로 평균 진화되려면 얼마의 시간이 걸려야 할까? 수십 만 년? 수백 만 년? 아니면 수수만 만년? 답이 없는 질문이다. 인간의 의식 레벨 기준은 1~1000의 기준으로 데이비스 호킨스가 측정한 의식 레벨측정인데, 지금 이 지구 행성에는 700이나 그 이상으로 측정되는 현자들이 대략 22명 정도라고 한다. 의식 레벨이 1000 수준에 이른 사람은 크리슈나, 예수, 붓다라고 한다. 인간의 의식 수준을 계수화한 데이비스 호킨스 박사의 의식 레벨 측정이다.

고도로 진화한 지적생명체 문명에 대해서, 러시아 천문학자 니콜라이 가르다 셰프Nikolai kardashev는 이렇게 3단계로 구분했다.

가르다 셰프의 말에 의하면, 행성에 도달하는 모든 에너지를 활용하는 문명이 1단계 문명이며, 태양의 모든 에너지를 활용하는 문명이 2단계 문명이고, 은하 전체의 에너지를 활용하는 문명이 3단계 문명이라고 한다. 그렇다면 우리 지구의 문명은 우리 지구 안에 있는 한정된 에너지를 소비해서 지구의 에너지를 고갈시키는 0단계 미개문명일 수밖에 없고, 기술적 사회적으로도 미개한 단계의 문명이고, 문명이 극복해야 할 종파주의, 독재정치, 종교적 불화를 불식시키지 못한 제로문명일 수밖에 없겠다.

「인류의 미래」를 쓴 '미치오 카쿠' 도 자신의 책에서, 인류가 은하 전체의 에너지를 사용하는 3단계 문명을 얘기하면서, 과학이 슈퍼컴퓨터와 결합된 '인간의 의식' 을 만들 수 있을 거라고 불확실한 미래상을 불가능의 가설로 가정했다. 슈퍼컴퓨터와 결합된 인간의식이라니? 인간의 의식을 어떻게 이해하고 있는지는 모르겠는데, 글쎄, 상상은 자유이겠지만 과학제일주의를 부르짖는 시대의 특권의식에 사로잡힌 과학자의 오만 아닐까? 어쨌거나 그럼에도 인류의 문명이 3단계 문명을 넘어 마지막 단계에 들어서면(4단계 문명. 이것 또한 상상일 뿐이고?), 물질 기계문명은 사라지고 인간은 육체를 제거한 '의식체' 로 존재할 것이라고 생각해 본다. 지구 인류가 3단계 문명을 넘어서게 된다면 지구상태의 문명이 아닌 다른 차원의 문명인 의식문명세상에서 순수한 의식체로 살아가지 않을까?

인간의 영혼은 의식체이다. 의식은 태초로부터 창조된 순수 에너지체이다. 다만 이 물질계에서 인체인 몸과 더불어 살아가기 위해 인간의 육체와 잠시 동거하고 있을 뿐이다. 하지만 인간이 이 물질계를 졸업하고 의식체(순수에너지)로 다시 돌아갈 때는 언제인가? 그건 아무도 알지 못하리라. 아마 수수억 만년 지구시간을 살아내야 하지 않을까?

106

이 무한의 우주 안에서 존재하는 수많은 생명체의 존재법칙에는 고도로 진화한 지적생명체와 지적 미개 종을 분류하는 명확한 공식이 있는데, 일차적으로는 의식의 차원이고 다른 한 부분은 과학의 발달과 그로 인한 지적 문명의 성찰이다.

여기서 고도로 진화한 지적생명체들의 의식은, 우주의 모든 에너지는 서로의 에너지로 공존하고 서로가 소통 순환하므로, 서로 조화롭게 상생하는 것이 모두의 생존을 지켜나갈 수 있다는 행성공동체의 지성적 의식이고, 과학 역시 함께 나누고 누려야 할 공동체의 창조 작업이며, 행성공동체의 풍요로운 삶을 위해 과학이 추구하고 확신해야 하는 최상의 길이 무엇인가를 명확하게 인식하고 실천하는 것이다. 미개종의 하나인 우리 지구 인간이 의식하고 있는 사고의 인식과는 너무나도 다른 아득하고 먼 행성이야기이다.

인간의 존엄한 생명을 천시하고 살육 전쟁이 난무하는 여기 미개종의 행성에서 지구 인간들이 살아내는 삶의 공포는 생존의 두려움으로 점철된 생사의 연속이다. 명분조차 없는 사악한 정의로 무장된 살생폭력이 사람들을 죽이고, 질투와 탐욕의 화신으로 괴물의 근육을 키운 메두사의 두 팔이 사람의 목을 조른다. 때문에 우리인간이 느끼는 두려움은 살아있음의 존재 자체가 불안이고, 그 불안 중에서도 가장 큰 두려움이 무자비한 타인의 살생으로 행해지는 전쟁의 공포와, 숱한 이념의 대립으로 인한 잔인한 살육 살생이다.

그런데 이 죽음에 대한 공포가 인간이 가지고 있는 최상의 공포임에도 불구하고, 나 외에 타인의 죽음에 대해서는 마치 나와는 다른 생물 하나가 없어진 듯이 무감각하고, 폭력과 살생에 의한 타인의 죽음을 자신의 머리카락 한 올보다도 하찮게 여기면서, 아무런 것이 아닌 듯 행동하고 행위 하는 것이 지구 인간들이 행하고 있는 비인간적인 야만의 행위이다. 만성적인 생명경시의 타락에 젖어있는 지구 인간들은 누군가가 피와 눈물로 범벅이 되어 몸부림치는 몸부림을 한 마리 짐승 보듯이 하며, 자신의 몸과 같은 생명들을 들판의 풀을 베듯 거리낌 없이 베어내는 좀비의 심장을 가지고 있다. 씁쓸하다 못해 참혹하고 비천한 미개야만의 근성이다. 하지만 어쩌랴! 지구 인간이 즐기는 이 살생의 축제는 오늘 지금까지도, 또 앞으로도 매 순간 쉼 없이, 여기 미개행성 지구에서 벌어질, 끊임없는 열정으로 즐겨야할 지구 인간들의 슬픈 동화 스토리이다.

107

삶은 그림자들로 우리를 속이지. 삶이 그러하기에 인생은 움직이는 그림자일 뿐이지. 우리의 가련한 연기자는 무대 위에서 거

들먹거리며 걷든가 초조하게 어슬렁거리며 돌아다니다가 소리 없이 사라지고 말지.

셰익스피어 '멕베스' 에서 죽음을 준비하는 왕의 독백처럼, 우리 모두 인생의 무대 위에서 어슬렁거리다가…….

멕베스의 입을 빌려 셰익스피어가 한 말은 셰익스피어 자신의 독백이자 인간 모두의 독백인 것.

그럼에도 셰익스피어의 독백을 나의 독백으로 이렇게 번역한다.

"인생은 움직이는 그림자가 아니고, 그림자의 주인이 인생이다!"

우리 모두 우리가 선택한 인생 무대에서 흔들리며 걷든 꼿꼿이 걷든 서성거리든 자신 생에 대한 영혼과의 약속을 현생에서 충실히 수행하고 있는 것이다. 지구에서의 삶은 우리 영혼과 맺은 약속이고, 생의 실존에 대한 완벽한 계약이며, 영혼 본성으로의 창조행위이다. 생은 진화하고 영혼의 진보는 계속된다. 무수한 생명에너지로 가득 찬 광활한 우주에는 우리가 상상할 수 없는 것보다 상상할 수 있는 더 많은 것이 있는데, 알 수 없는 것을 알 수 없는 우리에게 우주는 이렇게 말했다.

"너의 작은 몸짓 하나에도 우주의 신비가 들어있느니!"

그리고 이렇게도 덧붙였다.

"너희 모두가 우주 에너지원의 일원이니, 너희의 행위 하나하나가 에너지를 일으키는 애초부터의 근원이었으니, 그리하여 너희몸짓과 생각의 에너지가 곧 우주 에너지로 환원되는 것이니!"
그것이 너희이니.

108

겉옷을 벗겨본들 몸이 향유하고 있는 섬세한 몸의 감성과 그 몸이 말하고자 하는 몸의 언어를 들을 수 없다. 몸의 내면이 전하고자 하는 몸의 몸짓을 알 수가 없는 것이다. 그 몸을 감싸고 있는 겉옷을 벗고 맨살과 결속돼있는 속옷을 벗어 드러낸 알몸을 보아야만, 그 몸의 내면이 말하는 내면의 말을 들을 수 있고, 내면이 드러내는 몸의 실체를 알 수가 있는 것이다.

모든 사물은 외면과 내면을 동시에 가지고 있는데, 외적으로 드러나는 사물의 겉은 몸을 두르고 있는 겉옷과 같은 표피이고, 겉으로 드러나지 않고 숨겨진 내면의 형질은 자신의 본질을 담고 있는 질료의 항아리이다.

지식은 몸의 겉모습을 두르고 있는 외투에 지나지 않는다. 진정한 지식(앎)은 자신의 맨살을 감추고 있는 속옷을 벗기고, 자신의 알몸을 명확하게 볼 때만이 지식은 앎으로서의 보석이 되는 것이다. 이건 지식의 본질에 대한 자기발견을 확인하는 것이고, 앎의 비전을 인간애로 얘기하는 것이기도 하고, 또한 우리의 내면과 외면이 하나의 정체성의 근원으로 이해되는 동시에, 자연의 지성과 통합을 이루는 창조의 문장으로 번역되기도 한다.

109

환상 나라에서 일박——. 현상의 나로부터 소외된 십 초쯤의 하루. 그 공간의 틈에서 만나는 십 초쯤의 영원.

여기가 어디지? 마치 현실이 꿈같은, 꿈속인 것 같은 꿈의 몽환이 현실 같은.

혼몽한 사물들의 접힌 풍경이 감추었던 풍경을 펼쳐놓고 현실의 풍경을 만들어내는 몽환 속 풍경. 나를 지운 풍경의 배경이 환상의 영상으로 내 현실의 풍경을 드러내는.

의식의 환상은 풍경의 무의식을 의식하는 풍경의 연금술!

꿈결 같은 무형의 무늬가 신비의 문을 열고 들어와 마법이 된 풍경. 나는 내 현실의 전부를 환상의 무익성으로 환원하고, 내게로, 내 현실로 와서 내 현실의 풍경이 되는 환상의 풍경을 내 안의 풍경으로 전환했다.

"오! 낯선 곳에 던져진 나는 얼마나 낯선 풍경인가!"

나는 환상을 만들고 내 앞에 펼쳐진 환상을 즐기고 내 환상의 무익성을 내 육체의 세포마다 음각하고 음각된 무형의 상상을 환상의 풍경으로 기록했다. 그리하여 나의 환상은 현상이 감추어 놓은 형상과의 숨겨진 포옹이고 내밀한 내면의 색깔로 파동치는 심혼의 기쁨이고 환상의 두 날개를 높게 날게 하는 은빛 날개의 날갯짓이다. 또한 환상과의 포옹은 내 실존의 육체와 의식의 사유를 품게 하는 심원의 고요이고 그 고요의 풍경으로 날갯짓하는 내 날개의 가벼운 비상이다.

110

형은 삶의 의미가 뭐에요? 형은 글을 쓰는 것이 삶의 의미에요? 그녀가 묻는다.

내 삶의 의미를 글쓰기에 빗대 묻는 그녀의 물음인데, 그녀가 묻는 것은 인간 삶의 의미는 무엇인가를 얘기한 것인데, 또 하나 궁금한 것은 내가 느끼는 일상의 삶은 무얼까 하는 것인데, 사실 질문의 본질은 그녀 자신의 삶을 묻고 있다.

그녀는 솔직하다.

내 안의 나와 대화하는 나처럼, 내 마음에게 나를 묻는 나처럼 스스럼없이 손에 손을 겹치고, 미소에 입마추고, 몸이 질문하는 몸에 대해서 낮은 소리의 날숨으로 말한다.

사람의 모든 삶이 그러하듯이, 가고자 하는 자신의 길을 찾아 자신의 길을 가듯이 그녀는 그녀의 길을 간다. 또한 삶의 과정이 그렇듯, 세상에 태어나 누군가를 사랑하는 사람의 생이 그러하듯, 그녀도 사랑을 만나 인생을 함께할 집을 지었고, 또 덜그럭거리는 시간의 흐름 속에서 집의 지붕이 허물어져 버린 공복의 허기를 느끼며, 인생은 이것만이 전부가 아니라며 매듭을 동여맸던 인연의 끈을 해체해 자신의 다른 모습을 찾았고, 다시 찾은 자신의 얼굴로 괜찮은 카페의 주인이 되어 뭇 남자들의 시선을 받았고, 그리고 또 다른 인연을 만나 인연의 사랑을 받는 여자가 되었고, 그 만남의 인연으로 인해 원하지 않았던 이상한 빈 몸이 돼버렸고, 지금은 흔한 통장 하나 가질 수 없는 빈손이라고 했다. 그리고 존재가 비어버린 폐허의 삶을 빈 몸의 위로로 긍정한다고도 했다.

인간적인 현실의 삶이 우울한 그녀는 자살의 목적과 이유는 무얼까를 얘기하고, 몸과 영혼의 허기를 이기기 위해 어떤 에너지가 필요하다고 했고, 삶이 힘들어도 삶에는 드러나지 않는 내일이 있다고 담담한 표정으로 말한다. 그리고는 상처의 치유는 두 몸의 에너지가 몸의 열정을 풍요롭게 하리라는 생각이고, 마음에는 사랑을 두는 일이라 한다. 맞는 말이다.

그녀는 참 솔직하다.

서두름도 없이 경박함이 없이 아주 조용하게 의미의 사랑을 얘기하고 잊힌 종교를 얘기하고 삶을 묻고 에로스를 상상하고 자기 안의 영성을 얘기하고 암울한 내일과 눈을 맞춘다. 그리고 불행을 불러내어 불행을 곁에 두고 그 불행 곁에다가 애정이 담긴 긍정의 자리를 둔다.

그녀를 보면 내가 아프다. 다 드러내서 아프다. 본시 삶이 그렇다지만 볼 수 없는 걸 보아 아프다. 나 또한 생의 아픔인 상처이니까.

삶 속에서의 모든 행위는 자신의 존재를 자신 스스로 확인하는 것. 존재의 행위로 자신의 존재를 지금 이 순간 느끼고 지금 이 순간이 내가 존재하는 의미의 전부인 것을 아는 것인데, 내가 무엇을 하는 것과 누군가가 맨땅에서 축구를 하는 것과 시지포스의 등짐을 지고 언덕을 올라 자신의 등짐을 확인하는 행위는 모든 존재의 존재 모습인데, 그건 자신의 평범한 의지로 숨을 쉬는 평소의 가쁜 행위인데, 그녀는,

"나를 느끼게 하는 숨소리는 내가 나에게 들려주는 슬픈 음악이라고 했다."

그리고 그녀의 슬픈 음악을 중얼거리며 나는 이렇게 말했다.

"생은 기쁨의 눈물을 풀무하는 슬픔의 역류라고……."

111

영혼을 위로하는 노래.

기억만으로도 달빛이 되는 이름들.

사람은 아프다. 세상은 너의 절망으로 슬픔을 만들고, 생의 찬바람은 마음이 에이어 뜨겁다. 너의 익숙한 상처가 너의 슬픔에로 다가서서 한발 더 가까워지기. 한 방울 네 눈물에게 내 상처의 노래가 보내는 사랑을 함께 부르기.

112

하지만 이젠 그것이 어떤 형태든 오직 사랑만이 이 세상에 존재하는 무수한 고통을 설명할 수 있는 유일한 길임을 알 것 같아. 그것 말고는 다른 어떤 설명도 생각할 수 없어. 사랑 외엔 다른 설명은 없으며, 이 세상이 정말 고통으로 세워진 것이라면 그것은 사랑의 손길로 만들어졌음을 확신하게 된 거야. 이 세상이 영혼을 위해 창조된 것이라면 사랑이 아닌 다른 방식으로는 결코 더없이 완벽해질 수 없기 때문이지. 쾌락은 아름다운 육체를 위해 존재하고, 고통은 아름다운 영혼을 위해 존재하는 거야.

— 오스카 와일드 「심연으로부터」

그렇지! 존재하는 모든 것들의 의미 가치는 그 가치의 형태로 존재할 것이지만, 사랑 외에 다른 무엇이 인간의 삶을 설명할 수 있을 것인가? 우리가 영혼으로부터 주어진 육체라면.

113

"사람들은 너무 자주, 실제로는 자신을 위해 뭔가를 하고 있으면서 다른 누군가를 위해서 하고 있는 것으로 여긴다.

사람은 어떤 일이든 자기 자신을 위해서 한다. 네가 이런 자각에 눈 뜰 때, 너는 한 단계 도약을 이룰 것이다. 그리고 네 자신이 행하는 모든 것과 '너의 죽음에 대해서조차 그것이 사실임을 이해할 때', 너는 두 번 다시 죽음을 두려워하지 않을 것이다. 그리고 네가 더 이상 죽음을 두려워하지 않을 때, 너는 사는 것도 더 이상 두려워하지 않을 것이다. 너는 생의 마지막 순간까지 충실하게 살 것이다."

가만, 잠시만요! 죽을 때에도 나 자신을 위해 그렇게 하는 거라고요?

"물론이다. 네가 너 말고 누구를 위해 그렇게 하겠느냐?"

위의 대화는 '닐 도날드 월시'「신과 집으로」에서, 월시가 신과 나눈 첫 번째 대화이다.

"네가 너 말고 누구를 위해 너의 모든 행위를 하겠느냐? 네게 일어나는 모든 일이 너를 통해 일어나고, 너를 통해 일어나는 모든 일들이 너 자신을 위해 일어난다."는, 인간 실존의 행위에 대한 본질적인 이해. 무엇을 위해서 나는 나의 행위를 하는가를 알 때, 자신이 행하는 행위의 본질을 명확히 이해할 때,

"너는 이런 자각에 눈 뜰 때 한 단계 도약할 것이다."
그것이 긍정의 앎이든. 부정의 앎이든. 어떤 것이든!

114

새.

고요한 공기 속
시간을 지운 하늘, 꽃씨 날아오른다
공중심연을 열고 날아간다
위로 솟는다

날기 위해
바람의 씨앗을 키우는 페루,
이빨 뽑고 귀 자르고 척추를 제거한 새의 날개가
활을 그었다

바람의 옥상과 하늘지붕 섬,

완전한 꽃 완전한 향기 밤의 흰빛으로 스미고
그려지지 않은 동공 속 풍경은
풍경을 작곡한 어둠이 펼쳐놓은 어떤 우주의 악보

그리고 적막으로 고요한
아무소리도 들리지 않던 아름다운 계절의 고요는
공기의 원소가 만들어 낸 공기의 무늬
두발 발바닥은
대지의 가슴에서 잉태된 의지의 질료였다네

바람의 씨앗을 먹고
최초의 직선을 가르며 새의 부리가 솟구쳤네
공중수면을 찢고 번지는 청금靑昑 원색의 아우라,
눈썹을 지운 새의 눈 속엔
은빛 마디를 세운 날개가 있다

소금북 산문선 1

긍정과 부정의 사유

초판 인쇄 2020년 09월 05일
초판 발행 2020년 09월 15일

지은이 고현수
펴낸이 박옥실
디자인 유재미 정지은

펴낸곳 소금북
출판등록 2015년 03월 23일 제447호
발행처 춘천시 행촌로 11, 109-503 (우24454)
편집실 서울시 중구 퇴계로50길 43-7 (우04618)

전자주소 sogeumbook@hanmail.net
구입문의 ☎ (070)7535-5084, 010-9263-5084

ISBN 979-11-968400-6-8 03810

값 12,000원

* 이 책의 국립중앙도서관 출판도서목록(CIP)은 서지정보유통지원시스템
홈페이지(http://seoji.nl.go.kr)와 국가자료공동목록시스템
(http://www.nl.go.kr/kolisnet)에서 이용하실 수 있습니다.
(CIP제어번호 : CIP2020034564)